Universale Economica Feltrinelli

STEFANO BENNI
BAOL

Una tranquilla notte di regime

Feltrinelli

Prima edizione ne "I Narratori" ottobre 1990
Prima edizione nell' "Universale Economica" marzo 1992
Nona edizione febbraio 1996

ISBN 88-07-81198-7

PROLOGO

Triste è l'uomo
che ama le cose
solo quando si allontanano.

(BAOLIAN, *Libro dei pensieri baol*, I, vv. 1240-1242)

Se i tempi non chiedono la tua parte migliore
Inventa altri tempi.

(BAOLIAN, libro II, vv. 16-17)

Il tema di oggi è:

> "Ho sognato la casa dove sono nato
> e mi sono svegliato
> nella casa dove sono nato."

Oppure:

> "Edgar Allan Poe era un grande scrittore, ma eccelleva anche nella corsa ad ostacoli. Quale importanza ha la cura del fisico per un buon mago baol?"

Oppure:

> "Trasformate il foglio protocollo in un taglio di stoffa Oxford per camicia (due metri per due) e fatene dono al vostro insegnante."

Finita la dettatura, il maestro si rilassò sulla sedia. Gli allievi e le allieve del corso di magia baol sospirarono, e si concessero una pausa di riflessione prima di iniziare lo svolgimento. Alcuni rosicchiavano la penna, altri le unghie. Altri dilapidarono all'istante tutto il patrimonio di merenda che avrebbe consentito loro un sereno intervallo. Solo il pennino del primo della classe cigolava implacabilmente.

Era primavera, e il giardino del tempio era fiorito. Fiocchi di polline entravano dalla finestra, facendo intonar starnuti ai più delicati. Gli uccellini cantavano "Siboney". Il sole scaldava il mondo. In un giorno come quello non era facile stare inchiodati a un banco di scuola, sia pure una scuola prestigiosa come il tempio baol. Perciò l'allievo Bed, mentre tutti iniziavano a scrivere, guardava fuori dalla finestra un ciliegio fiorito. "Sarebbe bello essere su uno di quei rami", pensò, e dato che era già al terzo anno del corso, si ritrovò sul ramo insieme al maestro.

– Non mi risulta che lei abbia chiesto il permesso di uscire, allievo Bed – disse il maestro.

– Chiedo scusa – arrossì Bed tra i bianchi fiori – ma è una così bella giornata...

– Poco male – disse il maestro eseguendo alcuni volteggi a pinocchietto intorno al ramo. – C'è tempo per il tema. Ma da qualche giorno ti vedo distratto, allievo Bed. Cosa c'è? Sei preoccupato per il futuro delle foche? Sei innamorato dell'allieva O'Connor? Ti capisco. Anch'io ne vado pazzo. Vuoi cambiare studi? Pensi che il mondo stia per finire congelato oppure fritto?

– Niente di tutto questo – rispose Bed. – Per la verità, non riesco a togliermi dalla testa le sue parole di qualche giorno fa: "Ricordate che nella vita di ogni baol c'è un segreto, e lo conoscerete solo quando sarete vecchi".

– Sì, ho detto proprio così.

– Questo segreto mi turba, maestro. Non può essermi rivelato prima che io sia vecchio?

– No. Se vuoi, però, posso farti diventare vecchio subito.

– Oh no, maestro!

– Allora corri a fare il tuo tema – disse il maestro, e salì verso i rami più alti a rimpinzarsi di ciliegie (le ciliegie in aprile erano un tipico trucco baol).

Qualche anno dopo il ragazzo Bed ottenne il diploma

baol con trentasei trentesimi, e lasciò la scuola portando con sé molti ricordi e una foto della sua classe (Bed è il terzo da destra, il maestro il primo in basso da sinistra).

Uscendo dal tempio dove aveva tanto studiato ed erano passati tanti giovani anni della sua vita, si sentì vecchio.

– Maestro – gridò nel vento – è ora che io conosca il segreto?

– No! Fila a divertirti! – rispose una voce lontana.

Il ragazzo aspettò un momento con gli occhi chiusi. Poi salì sull'autobus che in pochi minuti lo portò in città, verso una nuova vita.

CAPITOLO PRIMO

In cui uno strano personaggio si aggira nella città, per niente contento dei tempi in cui gli tocca vivere

E ai lati della fiumana di persone che camminavano sotto il portico vi erano decine e decine di venditori e mendicanti. Questi ultimi, accovacciati in pose dolorose, con piedi storti e schiene curve, fingendo di dormire, abbracciati a cani e bambini, tenevano davanti a sé cartelli con la scritta: affamato, reduce, cieco, profugo, disoccupato, non mangio da tre giorni, gravemente ammalato, sordomuto. E in mezzo alla fiumana di persone io vidi avanzare un uomo dal nobile portamento, con una gabardine grigia e un cappello di feltro. Egli scostava con disprezzo i mendicanti dalla sua strada. Camminava guardando dritto davanti a sé e portava al collo un cartello con la scritta:

"Insensibile dalla nascita"

(Heski Baoding, *Racconti Baol*)

Di questi tempi è così difficile divertirsi un po'...

(Tim Curry, *Rocky Horror Picture Show*)

1.

16 giugno 1991, città di T.

È una tranquilla notte di Regime. Le guerre sono tutte lontane. Oggi ci sono stati soltanto sette omicidi, tre per sbaglio di persona. L'inquinamento atmosferico è nei limiti della norma. C'è biossido per tutti. Invece non c'è felicità per tutti. Ognuno la porta via all'altro. Così dice un predicatore all'angolo della strada, uno dall'aria mite, di quelli che poi si ammazzano insieme a duecento discepoli. Ce n'è parecchi in città. Dai difensori dei diritti dei piccioni alla Liga Artica. Siamo una democrazia.

Ogni tanto, sul marciapiede, si inciampa in qualcuno con le mani legate dietro la schiena. Forse la polizia lo ha dimenticato la notte prima. Ho guardato in alto, oltre le insegne illuminate e, obliqua su un grattacielo, c'era la luna. Le ho detto:

Cosa ci fa una ragazza come te in un posto come questo?

Poi mi sono fermato all'angolo tra Dulcea e Taganrog, nel quartiere gastronomico. Passava di tutto. Un tombarolo mi ha offerto due giacche firmate appena prese ai cadaveri, garantite disinfettate. Non gli ho dato retta, preso com'ero da un'interessante visione.

Davanti a un ristorante di Dulcea c'è una grande piastra ammazzainsetti a seimila volt. Ogni moscerino o farfallone che ci sbatte contro crepa, con un brivido elettrico. Mi è venuto da pensare che nessuna morte, ormai, fa più rumore di questa. Milioni di moscerini, una fiammata, e amen. Se hai la fortuna di nascere farfallone, forse si accorgono dei tre secondi in cui stai morendo.

Riflessioni così profonde mi fanno venire appetito. Perciò ho deciso di entrare in quel ristorante. Un ristorante di lusso, di quelli dove si succhiano gamberoni con sottofondo d'archi, non so se mi spiego, tutto marmo, velluto rosa, specchi e candeline, sembrava la *garçonnière* di uno yacht arabo.

Il maître mi ha esaminato con maîtresco disprezzo. Ho fatto finta di niente.

– Che pesce avete? – ho chiesto.

– Tutto quello che vuole – ha risposto freddamente.

– Allora mi porti un piatto misto di mullidi, sgomberomoridi, astici, aragne, aspitriglie, valencenielli, caranghi, cozze, castagnole, caviglioni, maranzane, mazzancolle, moscardini, bocchedibue, scrappioni, lote, suri, zerri, zurli, boghe, salpe, costardelle, donzelle, nigricepi, merlani, occhialoni, sparlotti, gattiruggine, pappasassi, succiascogli, spigole ermafrodite, cernie alessandrine, lofe budegate, palinuri elefanti e ostracodermi estinti.

Mi hanno cacciato fuori. Di questi tempi è duro far gli spiritosi se non si è miliardari. Non importa. Nella mia filosofia l'importante è divertirsi. Sapete, io sono un mago baol.

2.

Quando sono proprio giù di morale, vado in un bar che si chiama Apocalypso. È un bar polisemico transdiversale interclassista: fino a mezzanotte ci vanno quelli che dopo vanno in un altro posto. Dopo mezzanotte ci vanno quelli che non hanno un altro posto dove andare. Dopo le quattro ci vanno quelli che non sanno nemmeno più in che posto sono.

Il barista si chiama Galles, perché ha preso tante bottigliate in faccia che è tutto ridotto a quadri e losanghe. Lo potrebbero usare come bersaglio per le freccette (anzi, qualche volta lo fanno). La sua specialità sono i cocktail: mette insieme dei ceffi di liquori e ne fa un ottimo equipaggio. I suoi cocktail leggendari sono: Anagrafe, Rappresaglia e Menedaunàl.

Anagrafe è così detto perché se ne bevi più di due, dopo devi andare all'anagrafe per sapere chi sei. Rappresaglia sono venti parti di grappa italiana per una di grappa tedesca. Poi c'è il Menedaunàl. Favoloso. Dopo averlo bevuto, ti vien sempre voglia di fare il bis. Allora chiedi, appunto: "Me ne dà un al..." Ma nessuno ha mai finito la frase, si schianta a terra prima.

Quando arrivo io c'è un'allegra brigata di gerarchetti e clarette che stanno per andare a una qualche *première*. I gerarchetti sono clarkopodi, fumano cigarilli snelli e hanno giacche con spallone anabolizzate. Le clarette hanno pantaloni di giaguardami e tigraffierei, aderenti ma aderenti che quando si siedono uno si aspetta che suoni l'allarme. Stanno lì ridendo in posa, come un set di spot di brut. I gerarchetti parlano dell'argomento del giorno, che sta per scadere a mezzanotte. Le clarette pispillano della nuova divisa della polizia disegnata da Jean Paul Charrier, col basco stile rapper e un mitra mignon molto sexy color muschio.

Dalla strada, arrivano duelli di clacson e sirene della polizia, l'orchestra di mezzanotte che accorda gli strumenti. La voce di un Prete Pazzo urla minacce cosmicograme. Perché sono qui stanotte, solo e triste a dieci anni dal Duemila? Perché sono un soldato. E dietro ogni soldato c'è una donna.

3.

Ho sempre fatto il mago. Il mio maestro è stato il grande Fernando Biudek, perfezionatore del filo invisibile di perlon e specialista in sparizioni.

Biudek era stato allievo di Alois Kassner, che inventò il "Giardino di fiori" e il trucco dell'elefante.

Kassner imparò da Okito, il mago sordomuto che inventò il trucco della sfera sospesa per aria.

Prima di Okito ci fu Howard Thurston che inventò il trucco della corda indiana. E prima ancora Houdini, il re dell'evasione. E il famoso Kanalag, che inventò la parola "sim-sala-bim". E Harry Kellar che inventò il trucco della levitazione.

Prima di lui ci fu Samuel Bellachini, prestigiatore di corte dell'imperatore Guglielmo I.

E anche un certo signor Wolfango Goethe, prestigiatore con l'hobby di scrivere, abilissimo nei giochi con la scatola magica. Goethe imparò da Johann Nepomuk Hofzinser che fu il re della prestidigitazione con le carte, e da Ludwig Doebbler che inventò il trucco del mazzo di fiori.

E ancor prima venne Jean Joseph Pinetti che si faceva chiamare "Professeur de Physique Amusante", e tutti impararono dal fachiro indiano Hezbah, che a sua volta imparò dal Buddha che imparò dal primo mago soropatz'ie Pee Wei, che era un mago baol.

Non posso svelarvi chi sono stati i miei insegnanti di magia baol, perché è una magia segreta. Posso però dirvi che sono abbastanza abile nei trucchi di chiaroveggenza, un po' meno in quelli di levitazione. So fare giochi straordinari con le carte, so uscire da una vasca (una vasca sigillata, intendo), so far uscire dal cappello fiori, conigli di Fiandra, foulard di Dior.

So far sparire orologi (ne ho appena rubato uno per pagarmi la consumazione). Ma il numero che anni fa mi diede una piccola notorietà era questo: facevo sparire una grossa oca. La mettevo sotto un telo scuro e lei spariva. Nessuno capiva come facessi. Vi dirò la verità: neanche io. Era l'oca che era brava. In quindici anni di numero, non ho mai capito dove andasse, povera Colette. Si chiamava così. Spariva, e la ritrovavo nella camera dell'albergo, che mangiava la sua pannocchia lessa. L'avevo avuta in regalo dal mio maestro, il già citato Fernando Biudek, quello che sparì in un locale di Parigi insieme a una signora del pubblico con cui era chiuso nel baule. Il marito li cerca ancora.

Scusate se mi lascio andare alle confidenze, adesso che i gerarchetti se ne sono andati e il fernet mi concilia il revival. Colette era proprio un'amica. Morì di fegato (non male per un'oca!). Beveva molto, anche venti cognac per sera. Se non beveva non riusciva a lavorare. Diventò sempre più gialla e spennacchiata, non teneva più su il collo, barcollava in scena. Come potevo rimproverarla? Era una vecchia oca vedova, il marito era morto sdoppiettato mentre emigrava in Spagna. Una notte sentii che aveva degli incubi (faceva un rumore strano, come quattro lavandini diacronici). Uscì dalla sua cesta e capii che voleva andarsene. Salì sul davanzale della finestra. Mi lanciò uno sguardo d'addio, aprì le ali, e si schiantò dieci metri sotto. Era un po' giù di esercizio con il volo. La seppellii in una custodia di chitarra, col bel collo allungato.

Riposi in pace, ovunque sia.

Dopo, vennero tempi duri. Lavoravo in un piccolo circo. Un elefante, un po' di felini misti e tre numeri di attrazione: io, il giocoliere cinese e il finto leone. Il giocoliere cinese sapeva tenere in aria cento piatti, ma essendo molto povero ne aveva solo tre, e faceva il numero con quelli. Dentro al leone c'erano due fratelli ungheresi, i Pasztor, che non uscivano mai dalla pelle. Una notte entrai nel loro carrozzone per chiedere un'aspirina e scoprii che non erano due fratelli ungheresi, ma un vero leone disoccupato che per trovare lavoro si travestiva da leone finto (capito che tempi?).

Dopo il circo sono tornato nel giro dei night, per qualche anno. Ma l'ambiente è cambiato, i night si sono riempiti di gente nuova. Non ci sono più quelle belle carogne di una volta. Questi di adesso sono dei pericolosi parastatali. Li vedi tirar coca e il giorno dopo eccoli in tivùl che parlano contro la droga. Li vedi abbracciati ai mafiosi e il giorno dopo sono ai funerali delle vittime della mafia. Chiamano i camerieri "ehi capo", le donne "ehi fata" e dicono al pianista "cos'è 'sta lagna?" È troppo anche per un mago. I maghi non sono moralisti, però sanno dov'è il trucco.

La sera che decisi di smettere lavoravo in un locale che si chiamava "My Way", sapete, la canzone di Sid Vicious. Il pianista del "My Way" è un giamaicano, si chiama Ozzie ed è l'unico pianista sonnambulo che conosca. Lavora di notte da quarant'anni ma non ha mai invertito il bioritmo. La mattina si sveglia alle sette, di notte quando deve lavorare crepa di sonno. Suona la prima canzone e poi si addormenta e suona in trance, basta che qualcuno gli sussurri all'orecchio il titolo di un'altra canzone e va avanti. È come un juke-box. Una sera che nessuno gli cambiò disco suonò "Arrivederci Roma" sessanta volte di fila, c'era un gruppo di giapponesi contentissimi che la cantò tutte le sessanta volte, ma gli altri se ne andarono. Anche quella sera (la mia ultima) Ozzie suonava benissimo, però russava: e c'era una banda di palazzinari, con siliconate al seguito, cui la cosa non andava. Uno di questi, grosso tre piani, andò vicino a Ozzie e gli sibilò nell'orecchio "Sveglia, stronzo!"

Ozzie andò in crisi, perché non conosceva nessuna canzone con quel titolo, e si mise a suonare il giro di do in caduta libera. Allora il palazzinaro lo svegliò con una caraffata di seltz. Io presi il palazzinaro e lo infilai dentro la cassa del pianoforte. Usciva solo la testa un po' gialliccia, sembrava una cozza. Scoppiò una rissa che non rimasero intere neanche le olive dei cocktail. Pagai la mia quota di danni e me ne andai.

So cosa pensate: come ho fatto se quello era così grosso? Semplice: sono un mago. Non fatemi saltar la mosca al naso.

4.

Cominciamo a conoscerci, non vi pare? Mi piace parlare con voi, anche se è un po' strano che io sia quaggiù e voi sopra, vedo la vostra faccia e gli occhi che leggendo si spostano da sinistra a destra (da destra a sinistra se siete arabi) e magari state pensando: cos'è questa magia baol?

Non si può spiegare il baol, e soprattutto non si può spiegare perché non si può spiegare. Però voglio venirvi incontro con un esempio. C'è gente che muore senza saper ballare il valzer. Basterebbero due ore della vita e un amico ballerino. Macché, niente! Restano ai bordi della pista, vorrebbero tanto, ma se qualcuno li invita dicono no, grazie, son stanco. Muoiono senza saper ballare il valzer (e dio sa quanto gli piacerebbe). Morire senza aver imparato il valzer (e anche il mambo, i salti mortali, l'arpa, la tiptologia e altre cose di gran classe) non è baol. Avremo modo di riparlarne.

Torniamo al bar Apocalypso. È un posto caldo, pulito, illuminato bene. Io sto a cavalcioni su una sedia, come una stripteaseuse, e controllo l'entrata, casomai arrivasse la donna della mia vita o anche quella della vita di un altro, va bene lo stesso. Vi piacciono i ricordi? A me sì. Vi racconterò tutto dal principio. Lei si chiamava Alice, Alice Auck e...

– Scusa, giovanotto...

Mi volto. Una vecchia che sembra fatta con gli scarti

del lifting di un pullman di vecchie americane, con una parrucca fosforescente che, se ha dentro delle pulci, perlomeno sono vestite come Prince. Quattro asteroidi di smeraldo alle dita, che ruotando fanno effetto discoteca. Rossetto color mela di Biancaneve. E c'ha la mini!

– Hai un po' di tempo? – mi dice, e si accosta.

– Sto parlando con degli amici – dico io.

– Salve – dice lei, e vi saluta facendo l'occhiolino. Poi si arrampica sullo sgabello con uno strano scricchiolio e sussurra: – Ti faccio venire in mente niente?

– Sì – dico io – un cantiere di lavori in corso.

– Spiritoso – dice lei – vorrei vedere te a settant'anni.

Però, mica male la vecchia. Si pappa un bacardi e poi due e poi tre e manda giù noccioline a galleggiarci sopra.

– Ma davvero non ti ricordi di me?

Mi concentro. Mi sembra di sentire il nastro della mia vita che si riavvolge all'indietro. Invece è il fischio della macchina espresso. Chi sei, nonna misteriosa?

– Sono Mara May.

– Mara May! – grido io.

– Mara May – grida Galles.

Mara May, la regina del porno muto, la prima, l'unica! Come non riconoscerla?

– Ho visto tutti i suoi film quando avevo otto anni – dico commosso – ricordo ancora "Rotaie bagnate". E la scena della maionese in "Adelchi". E l'orgia sotto il tavolo in "Barboncini roventi".

– Ero una gran bella ragazza – dice Mara May, e scoppia in lacrime multicolori.

– Lei era la migliore di tutte – dice Galles emozionato – una volta le ho anche scritto una lettera di cosatifarei.

– Ne ricevevo più di mille alla settimana – dice Mara May tra i rivoli.

– Su non pianga – dico io – tutti abbiamo il nostro momento d'oro. E dopo, è bello ricordarlo. Se fosse sempre il nostro momento d'oro non ce ne accorgeremmo neanche...

– Quand'è stato il tuo momento d'oro? – mi chiede Mara.

Ci penso un po' su e poi rispondo: – Una volta ho vinto un pesce rosso al Luna Park.

Segue un rispettoso silenzio. Galles, vedendoci malinconici, ci offre due fernet alla banana.

– Mi tolga una curiosità – dico – si ricorda quando in "La campeggiatrice" lei entra nella tenda dei boy-scout?

– Come no. C'era Volpe come regista. Nessuno sapeva riprendere il sudore come lui. Grande film.

– L'ho visto tre volte. Se ricordo bene in quella scena lei aveva, scusi il linguaggio, un boy-scout che la inzaboriava da dietro, uno che la trifolava nel modo legale, e intanto lei con la mano frullava i peperoncini ai due boy-scout giovani e simultaneamente gonfiava la gomma al capo boy-scout.

– Esatto – dice Mara May illuminandosi.

– Però mi ricordo che c'era un sesto boy-scout che godeva più di tutti, di fianco al capo boy-scout. *Che* cosa, e *con* che cosa gli stava facendo?

– Quello era mio marito – disse Mara May.

– Marito?

– Sì, Alberto. Era geloso, geloso pazzo. Quando mi sposò sapeva che facevo l'attrice, ma non immaginava il genere. Quando lo seppe ci rimase male: era un uomo all'antica. Era geloso così, senza un motivo preciso. Cominciò a seguirmi sul set. Non tollerava che qualcuno mi baciasse. Infatti per i baci usavo sempre la controfigura. In quella scena, mi ricordo bene, era geloso di tre boy-scout. Volle restare sul set a controllare, e allora lo vestimmo da boy-scout e gli dicemmo che doveva fingere di godere.

– E fingeva?

– Oh, certo che fingeva. Era un tipo così semplice, Alberto, non sapeva cosa fosse la parola perversione. Trascurava il lavoro per stare al mio fianco. Ricordate in quel film l'orgia con i tre cuochi nel ristorante vegetariano? Beh, ne avevamo girata la metà quando uno dei due cuochi si bloccò perché aveva mangiato troppa soia di scena. Forse lo sapete, è un problema idraulico: il sangue se va lì non va là. Ebbene, il cuoco fu in grado di riprendere a recitare solo verso mezzanotte, io ero stanca morta e c'erano da girare ancora i primi piani, non primi piani di facce, naturalmente. Allora, sapete cosa fece Alberto? Si sacrificò e mi fece da controfigura! Mi sostituì nei primi piani col cuoco!

– Doveva proprio essere innamorato – dissi io.

– Sì, poveretto.

– È morto?

– No che non è morto, quel bastardo. Ha messo su una casa di produzione di Animal Sex e controlla il settanta per cento del settore equino e il trenta per cento del pornornitorinco.

– Pornornitorinco?

– Sì. Va fortissimo sul mercato australiano. Ma basta parlare del passato. Le dirò perché sono qui. *Ho bisogno di un baol*. E lei, Melchiade Saporog'zie Bedrosian Baol, è uno dei pochi rimasti.

– Io non lavoro più.

– Ma mago lo è ancora... Ho bisogno dei suoi trucchi – gli occhi della vecchia brillarono di eccitazione – ho bisogno dei trucchi della scuola Wei e anche di più.

Cercai di dissimulare il mio nervosismo, ma il bicchiere che mi cadde di mano, le noccioline che sputai e forse soprattutto la mia caduta dalla sedia fecero sì che lei si accorgesse di qualcosa.

– Non faccio più quei trucchi. Anzi, non li ho mai fatti.

– Sappiamo tutto. Lei ha militato clandestinamente nel FNC, nel SDOFNC e nel CCRTSN. È stato espulso dal CCRTSN per il suo appoggio all'UCCPLLDRD, e quando questo si è scisso lei è confluito nella frazione UCCLRD, che si è poi divisa in tre gruppi in uno dei quali, l'UCC, lei ha militato ai tempi dei Sette Splendidi Giorni. Fu lei che organizzò l'attacco dei conigli bianchi alla caserma di M., e in seguito a questa azione fu espulso dall'UCC e con un amico fondò il CC, poi...

– Lei è della polizia?

– No. Sono molto amica di una persona che ha bisogno di lei. Una persona speciale.

– Ho conosciuto solo una persona speciale – dissi stringendo il bicchiere. – Un giorno svegliandomi le dissi: "Alice, Alice cos'è cambiato tra di noi?" E lei mi rispose: "Ma io non sono Alice!" Allora capii. Da quel giorno – sospirai, buttando giù tutta la dose di fernet – l'unica cosa speciale della mia vita è quando in tivùl dànno un vecchio film di Grapatax.

– È proprio lui che la vuole – disse la vecchia.

– Grapatax? Il grande Saverio Antonio De Grapatax?

– Sì. Il più grande comico di tutti i tempi.

– È morto sei anni fa.

– Non è morto. È vivo, e la aspetta...

– Voglio una prova.

– Quando lei era un giovane mago, una sera Grapatax venne a esibirsi nel suo night. Era al culmine della carriera. Lei invece se la passava male: non aveva neanche lo smoking per andare in scena. Grapatax le prestò il suo. Mi ha detto che quando lo stirò scapparono via dodici colombe. È vero o no?

– Non è vero.

– Lo sapevo. Racconta sempre un sacco di balle, quel vecchio rincoglionito. Comunque lei verrà lo stesso.

– Chi glielo dice?

– È qualcosa che ha a che fare col suo segreto...

Presi l'impermeabile e uscimmo. Ci urlarono dietro. L'impermeabile non era mio.

5.

È una tranquilla notte di Regime. Le squadre antidroga sparano agli spacciatori, dalle Ferrari in corsa gli spacciatori rispondono al fuoco. Centinaia di gorilla scortano i gerarchetti verso le zone del vizio, ghinze, testacci e perversailles, verso i night e i peep e i party e i bingo. Il centro è intasato. Due strade sono chiuse per sfilate di moda, la polizia vigila, ieri c'è stato uno scontro tra gli stilisti governativi e quelli del governo ombra. Sono scoppiate zuffe in passerella, sette indossatrici ferite e uno stilista morto con un tacco a spillo in fronte. Adesso sfilano armati.

La vecchia Mara e io stiamo attraversando il ponte sul fiume Molochinka, quello che separa Ghinza dai quartieri periferici. Sotto questo enorme ponte vive molta gente, per lo più africani, albanesi e inglesi. "Sotto" non vuol dire nel fiume. Lì ci sono eserciti di topi infuriati e l'acqua fuma di veleni come la pentola di una strega. La gente vive dentro grandi amache sospese tra arcata e arcata, oppure nelle intercapedini dei piloni. La polizia cerca di impallinarli al volo ma non è facile, da settanta metri. Scalano le pareti di ferrocemento come gechi. Scavano buche-trappola lungo la strada che corre sul ponte. Ogni tanto un'auto ci casca dentro e fila giù per settanta metri dritta nel fiume. E loro spolpano. Non buttano via niente. I loro cappotti di interno di Mercedes sono assai ricercati.

Stasera sembra tutto normale. Il gigantesco groviglio di auto arranca in una nube di gas. Un'intera corsia è chiusa da anni per lavori in corso, nessuno sa più quali lavori. Sulle montagne di terriccio e tra le buche corrono i fuoristrada, per cui ormai questa è una corsia preferenziale.

L'auto della vecchia Mara May è una AW, Afterwar 2000. Le fanno a Gambettola con i rottami dei tank di guerra (questa una volta era un tank irakeno). Sono rozze ma molto robuste. Se lavori per il Regime, puoi chiedere il permesso di tenere la torretta con cannoncino. Mara non ce l'ha ma se ne frega. Sorpassa a destra, lotta fiancata a fiancata con le Volvo Thor, con le Fiat Macho, con le Toyota Samurai, tutti i nuovi modelli da ingorgo che piacciono tanto ai guerrieri stradali.

Siamo quasi a metà del ponte quando ci blocchiamo. C'è una Rolls Royce in mezzo alla strada, sedici metri di limousine nera con dentro uno che telefona. Da varie parti gli piovono contro biglie di ferro, ma il guidatore ha i vetri blindati. Dietro di noi arriva un camion con lo stemma dei Camionisti dell'Apocalisse, una coop di Tir da duecentoquaranta chilometri orari. Il Tir è alto sei volte noi. A destra della cabina è appesa una madonnona luminosa con in mano un Cuore di Cristo intermittente. A sinistra c'è un poster tridimensionale con un'orgia di benzinaie. Sopra la cabina, un paio di corna di cervosauro, e una fila di teschi antinebbia. Scende un biondobaffuto, si appoggia alla Rolls e dice:

– Facciamo un pisolino?

– Non mi rompa i coglioni – dice l'uomo della Rolls – sono del Servizio Finanza e sono collegato con la borsa di New York. Se non sto fermo non capto il segnale telefonico. Questione di cinque minuti.

– Ah beh, se son cinque minuti... – dice il biondobaffuto, e torna al suo posto.

Subito dopo vediamo un'ombra uscire dal Tir e passare

sopra la nostra macchina. È il braccio di una gru, con in fondo una piastra magnetica. Pesca la Rolls, come nei giochetti del Luna Park. La solleva delicatamente, la fa penzolare fuori dal ponte e: pluf! la molla. Passiamo.

– Non li sopporto quelli che bloccano il traffico – dice Mara May – ma neanche i Camionisti dell'Apocalisse mi vanno giù. In questo mondo c'è troppa violenza e poco amore.

– Ben detto – dico io, allontanandole la grinfia dalla mia cintura. Lei tiene il broncio.

Usciamo dalla Tangenziale e prendiamo una vecchia Periferica che ci porterà ai quartieri dormitorio. È uno stradone delimitato da due terrapieni di immondizie, su cui stormi di gabbiani strillano la loro gioia di mendicanti. Sopra i terrapieni fioriscono ingegnose soluzioni al problema alloggi. Per primo incontriamo il Grunding Village, dove la gente vive dentro gli scatoloni dei televisori. Più in là c'è Tubopoli, dove si abita dentro le vecchie condotte del gas. Dopo Tubopoli c'è Camperland, la città semovente, e poi la zona degli Orti Miracolosi, dove alcuni vecchi artisti del settore ritagliano centimetri quadrati di cavoli e patate in mezzo alle erbacce e al catrame. Al chilometro ventotto c'è un orto famoso perché il proprietario riesce a far crescere banane sotto un cartellone pubblicitario dell'Air Sudan.

Dopo il trentesimo chilometro la strada si fa impervia, e si intravedono sullo sfondo i quartieri dormitorio come una catena montagnosa. Una polvere nera ci avvolge, non è più né notte né giorno.

– Non è andato a vivere in un bel posto, Grapatax – dico io.

– La gente dimentica – fa la vecchia. – Quanti comici sono morti in miseria? Ollio, Keaton, Socrate. E le dive porno? Perché, secondo te, da quarant'anni nessuno mi fa più proposte di lavoro?

– Proprio non lo so.

Arriviamo in un crocevia che una volta doveva essere molto frequentato. Ora sull'asfalto crescono agavi e cactus.

Dell'antico splendore è rimasta solo una serie di cartelli stradali, tutti decorati di scritte con incitamenti alla squadra (alla donna) amata, insulti alla squadra (alla donna) odiata, ai vizi del nord, a quelli del sud, a Nostro Signore Distratto. Il palazzo di Grapatax è un torrione consunto, l'Atollo K, venti piani con tutti i vetri rotti. Due o tre ragazzini giocano a golf sul prato violaceo. Una vecchia cercatrice di radicchio selvatico, col fucile a tracolla, ci osserva da lontano. È pericoloso girare a quest'ora. Uno dei ragazzini ci ha puntato, e arriva sfoderando una pistola grande come lui:

– Fuori i soldi, stranieri – dice.

– Rapini sempre la gente con un mazzo di fiori? – gli chiedo. Il bambino ha infatti in mano un grosso mazzo di fiori di carta. Me ne porto sempre dietro uno o due per imprevisti del genere.

– Devo cambiare pusher – dice il bambino allontanandosi con aria meditabonda.

La vecchia Mara May si appoggia a me tutta dolcezza e spigoli e mi fa l'occhiolino:

– Così non sapevi più fare trucchi, vero?

– Solo per legittima difesa.

Entriamo nel palazzo e chiamiamo l'ascensore. Lo sentiamo scendere con un sibilo da jet. Arriva e dentro ci sono due nani che sonnecchiano, e un terzo che prepara il caffè su un fornello.

– Salve Raul, salve Bobo, salve Nick – dice la vecchia – vi presento un amico. Un mago baol. Loro sono gli Gnocchetti. Forse ne hai sentito parlare.

– Come no! I famosi acrobati comici! Vi ho visto un paio di volte. Eravate fantastici!

Bobo si mette a piangere.

– Non gli piace parlare del passato – dice Raul.

L'ascensore parte rumoroso e lento. Dentro fa caldo, ci sono brandine e un cucinotto.

– Siamo venuti ad abitare qui tre anni fa – dice Raul – non ci è mai piaciuto chiuderci in un appartamento, siamo abituati a vivere in alto. Quando non stavamo sul filo o sul trapezio, dormivamo dentro le astronavi dell'Ottovolante. Bobo per esempio non ha mai messo piede a terra. Si è sposato sui trampoli. La polizia ha provato a scacciarci dagli ascensori, e prima o poi ci riuscirà. Magari domani.

Nick scoppia a piangere.

– Non gli piace parlare del futuro – dice Raul.

– Ma non eravate quattro una volta?

Bobo piange a dirotto.

– Sì, c'era anche George – dice Raul – il più piccolo. Sessantatré centimetri con le scarpe. Insieme facevamo il quadruplo Hanszelmann incrociato al trapezio. Unici al mondo. Facevamo anche il "Salamino volante", uno attaccato ai piedi dell'altro. Poi George incontrò un tipaccio. Uno del Regime. Gli promise di lanciarlo in televisione. Gli disse che gli avrebbe fatto fare stretching in palestra e lo avrebbe allungato. George ci cascò. Dopo qualche mese ci venne a trovare. Era alto un metro e sessanta, con certi modi da fighetto. Presentava un programma di barzellette razziste alla Tivùl Liga Artica. Fu lui che coniò lo slogan "Più a Nord di noi non c'è nessuno". Faceva le convention e i meeting, beveva con la cannuccia. Non era più lui. L'ambizione lo rodeva. Continuò a tirarsi le ossa con attrezzi sempre più raffinati. Arrivò a uno e ottantacinque. Fu la sua fine. Un giorno andava in moto sulla Peluso Highway. Vide un passaggio a livello. Spinse la moto a tutta birra per passarci sotto. Perché vedi, anche se era uno e ottantacinque, dentro aveva ancora l'istinto del nano. E i nani passano sotto a tutto.

– Però quella volta non passò – disse Nicky – o almeno, passò tutto meno la testa.

– Brutta storia – dissi io.

I tre nani, commossi, si soffiarono il naso nella mia giacca. A una parete dell'ascensore vidi una foto che li ritraeva ai tempi d'oro, nel loro costume di scena. In un'altra scherzavano con Buster Keaton, alla Coupole. In un'altra ancora c'era Bobo il giorno del suo matrimonio con Eva Moore del Crazy Horse.

– E adesso che lavoro fate? – dissi, rompendo il silenzio.

Raul si mise a piangere.

– Non gli piace parlare del presente – dissero gli altri.

L'ascensore si fermò qualche metro sotto il livello del piano. Salimmo con una scala di corda. Grapatax abitava in una soffitta lunga e stretta, col tetto a vetri. Sul tetto stavano immobili centinaia di corvi, che ci guardarono entrare girando la testa tutti insieme.

La soffitta era spoglia. Intravidi, nel fondo, una poltrona e un tavolino. Sulla poltrona c'era un plaid di lana. Sotto il plaid c'era il grande Grapatax.

6.

C'è un grande silenzio, quassù. Solo il vento, che soffia tra i vetri rotti e muove le ragnatele del soffitto. Grapatax sembra addormentato. Una testa magra, piccola come quella di un gatto, sbuca dalla coperta. La mano che sapeva disegnare nell'aria gesti eleganti e irresistibili è adagiata sul bracciolo della poltrona. Ai piedi, due scarpe da tennis sfondate. Sul tavolino, un servizio da tè e una scatoletta di sardine mezza aperta. Eccolo qui, l'uomo che ha fatto ridere tutto il mondo.

Apre gli occhi, bistrati, gialli e brillanti. Proprio un vecchio gatto.

– Allora è venuto... – dice con un filo di voce.

– A quanto pare – rispondo, un po' imbarazzato. Alle mie spalle, sento il tossicchiare di circostanza dei nani.

– Lasciateci soli – dice Grapatax.

Rimaniamo soli.

– Mi versi il tè – dice – io sono troppo debole per alzare la cuccuma. È una malattia dei muscoli. Buffo, no, per uno che entrava in scena con due salti mortali?

– Io la trovo abbastanza bene.

– Come no! Ieri sono stato dal medico e gli ho chiesto: "Dottore, mi dica la verità, potrò ancora stringere una donna tra le braccia?" "Certamente" ha risposto "se ne trova una disposta a farsi seppellire con lei."

– Questa battuta me la ricordo. La diceva Hepzibah.

– Sì, quel fetente. Era un comico malvagio. Rubava le battute a tutti. Gli piacevano quelle macabre. Cambiò decine di spalle. Nessuna resisteva con lui. Se sbagliavano, le schiaffeggiava davanti a tutti, anche in scena...

– E Garau l'ha conosciuto?

– Oh sì! Un vero satiro. Il suo contratto standard: due milioni e due ballerine grassottelle. Una volta cercò di violentare la bambola di un ventriloquo.

– E Silvio Saponetta?

– Tremendo! Avido di danaro. Si faceva pagare anche per gli autografi. Una sera all'uscita del teatro lo fermò la madre di una bambina invalida, in carrozzella. Gli disse che sua figlia avrebbe tanto voluto farsi fotografare in braccio a lui. "Cinquantamila in braccio e centomila sulla carrozzella" rispose.

– E Rigutini?

– Una checca perversa; un esibizionista. Adescava i pompieri incendiandosi le piume del costume. Odiava le donne a tal punto che interruppe le riprese di "Rigutini e Rin-Tin-Tin" quando seppe che Rin-Tin-Tin era una femmina.

– Ma non si salvava nessuno?

– Oh sì – sorrise Grapatax – è che io sono una linguaccia. Ce n'erano anche di dolcissimi. Napo Verez, ad esempio, dava metà di quel che guadagnava a un brefotrofio. È anche vero che ci aveva messo dentro i suoi sedici figli. Poi c'era Poldo Pelo. Molto sensibile. Se qualcuno del pubblico non rideva, lo aspettava all'uscita e gli piangeva addosso finché quello non gli faceva una risata. Poi c'era Watz. Il grande Watz. Faceva show ovunque. Quando entrava in un albergo, si fermava tutto: i camerieri rovesciavano le portate, i cuochi ribaltavano le pentole, le *femmes de chambre* invece di rifare i letti ci si rotolavano sopra dal ridere. Un tornado di gag e barzellette. Nessun albergo lo voleva più. Un giorno, durante una tournée, fu finalmente accettato da un Grand Hotel. Un albergo vecchio stile, frequentato da signori distinti e molto tranquilli. Nessuno rideva alle sue battute. Watz ci provò per tre giorni. Alla fine gli venne l'esaurimento nervoso e cercò di impiccarsi alla doccia. Il direttore gli spiegò che quello era un albergo per sordomuti, personale incluso.

– Ma il direttore non era sordomuto...

– No, ma non voleva far la figura dello scemo che ride da solo. È tutto vero. Come la storia di Mac Pac.

– Mac Pac "faccia di gomma"?

– Proprio lui. In scena era uno spasso. Ma fuori per lui era un inferno. In qualunque posto andasse, la gente, appena lo vedeva, rideva. Se muoveva un solo muscolo del viso, era una catastrofe comica. Non riusciva più a far l'amore perché le partner, appena lui si eccitava un po', venivano prese dal convulso. Gli proibirono di andare ai funerali degli amici. Andò in depressione e cercò di curarsi con l'analisi. Finché stava sul lettino e l'analista lo ascoltava di spalle, andò tutto bene. Ma una volta l'analista si girò e non riuscì più ad ascoltare una parola senza scompisciarsi. Mac Pac si suicidò guardandosi allo specchio per un'ora. Morì dal ridere. Non riuscirono nemmeno a chiudere la bara. Il prete si pisciò addosso durante il discorso funebre. Se Dio esiste, adesso sta ridendo forte.

– E Merrill?

– Dissero che si era ucciso per amore. Balle! Aveva dei problemi col partner, ricordi il duo Attanasio-Merrill? Ognuno dei due voleva sempre avere l'ultima battuta. Li vidi una volta a Las Vegas e lo show finì alle tre di notte. Appena uno cercava di fare la chiusura l'altro, trac, rilanciava. Finiva per esaurimento fisico: qualche volta resisteva di più Attanasio, qualche volta la spuntava Merrill. Non ho mai visto due persone odiarsi così. Una sera in un locale l'avevano tirata in lungo fino alle sei di mattina. Erano rimasti solo pochi spettatori, stremati. – E adesso signori vi salutiamo – disse Merrill – ma vista l'ora non vi conviene tornare a casa, perché tra poco inizia il nostro show di domani.

– Giusto, Merrill. Ma non dovevi dire "nostro", perché adesso sanno che ci sarai ancora tu e non torneranno.

– Oh Attanasio, non dire così. Lo so che sei il più bravo, io non credo a quello che dice la gente, Attanasio.

– Se questa battuta vi sembra vecchia dovreste vedere la moglie di Merrill.

– Se questa battuta vi sembra facile, dovreste provarci con la moglie di Attanasio.

Attanasio fece la controscena e preparò una battuta di risposta. Ma prima che aprisse bocca Merrill aveva tirato fuori di tasca una pistola e si era sparato. Così ebbe l'ultima battuta per l'eternità. Non c'era nessuna donna di mezzo. Solo gelosia professionale.

– Che tempi!

– Bei tempi. Davamo l'anima, su quel palco – sospirò Grapatax. Si soffiò il naso con un fazzolettino profumato. Abbandonò la testa sullo schienale della poltrona, guardando lontano. Mi sembrò che canticchiasse a bassa voce.

– Vuoi che ti racconti tutto dall'inizio? Vuoi sapere perché ti ho fatto chiamare, baol?

– Non sono più un baol – dissi.

– Un baol resta baol fino a cent'anni dopo morto – disse Grapatax – così come la pioggia non finisce quando cade. Baolian, libro terzo, verso 342. Conosco i vostri testi.

– Leggende – dissi io.

– Quand'ero il principe dei comici, tanti anni fa – proseguì Grapatax – sapevo ascoltare la celeste musica del riso. Potevano esserci duemila persone in sala, ma io distinguevo le risate una a una, come strumenti diversi. Le grasse, le gutturali, le timide, le riflesse, le sbracate, le represse, le entusiaste, le amare. A volte sintonizzavo le mie battute su una sola di esse: la più sincera, la più cristallina. Oppure ne individuavo una incerta, di qualcuno che era venuto maldisposto, e la ascoltavo crescere, diventare più convinta, dispiegarsi, ed era il mio trionfo. Avvertivo se qualcuno rideva in anticipo o in ritardo, se un altro rideva per la risata del vicino, o perché travolto dalla vertigine del suo stesso riso. In questa varietà di risate io immaginavo che tutti si liberassero delle loro paure, dei pregiudizi, dei luoghi comuni. Mi sentivo un medico ottimista, un mago onnipotente, un amico fidato. Era vanità? Era presunzione? Forse. Ma era la mia vita.

Poi vennero gli anni del Regime. Sentii che qualcosa stava cambiando. La musica non era più così varia. Le risate presero ad assomigliarsi tutte. Bastava una semplice allusione perché tutti insieme pensassero alla stessa cosa, e ridessero nella stessa tonalità. E anche il sapore era diverso. Come... se ridessero con la bocca piena. Cercai di provocarli, allora. Le cose di cui ridete, dicevo, possono uccidervi. Il riso è misterioso: disubbidiente e conformista, socievole e solitario, inquieto e stupido, razzista e rivelatore. Attenti al Grande Supermercato del Riso, alle Offerte Speciali per tutti. Siate i comici di voi stessi. Fatevi da soli il vostro humour quotidiano. E loro ridevano.

Il Regime fu presto informato del mio cambiamento. Mi corteggiarono, mi emarginarono, di nuovo mi corteggiarono. Fino a quella sera, quel 16 settembre (ricordi questa data!) in cui conobbi il Gran Gerarca in persona. Quella sera la mia breve vita felice di comico finì. Le spiegherò dopo perché. Poco per volta mi allontanai dalla Grande Scena e persi il mio pubblico. Non vedendomi più in passerelle e circensi, mi credettero finito. Io ero sempre lo stesso, ma il fatto che recitassi in un piccolo teatro faceva credere che fossi superato. Una sera un ragazzo mi chiese l'autografo. Glielo diedi. "Ma come", disse, "lei non è Reuccio Baluccio?" "No, sono Grapatax." "Accidenti, l'avevo presa per Reuccio Baluccio, quello che fa il finocchio in televisione. Se l'avessi saputo non avrei riso tanto."

Allora mi ritirai. Per qualche tempo, mi cercarono. Poi

nessuno mi cercò più. Per dieci anni. Dieci lunghi anni di silenzio.

La voce di Grapatax era diventata un sussurro, un filo d'acqua. Si passò lentamente una mano sulla fronte, come una carezza.

– Allora decisi di morire – sospirò.

– Perché?

– Perché solo così mi avrebbero ricordato. E così fu. Uscì la falsa notizia della mia morte. Tornarono ad amarmi. Poster, vecchi brani riproposti, persino i miei brutti film. Parlarono di me, nuovamente. Fu bello, all'inizio. Poi cominciarono a mentire. I Preti Pazzi dissero che ero un moralista apocalittico, il primo misticomico. Gli emergenti che ero divertimento puro, oltre le ideologie. Gli intellettuali mi usarono per le loro risse. I ribelli dissero che ero un ribelle. Nessuno disse mai cosa ero.

– E cosa era?

Grapatax non rispose. Restò un minuto in silenzio, guardando i fondi della tazza di tè.

– Mi resi conto che quello che avevo fatto era servito solo a farmi morire due volte. Avrei sopportato anche questa beffa, anche queste menzogne. Ma pochi giorni fa, mi hanno portato questo.

Mi mostrò una pagina di giornale. C'era la foto di Grapatax giovane, insieme al Gran Gerarca, allora capelluto e agli inizi della carriera.

– Legga la didascalia – disse Grapatax.

"Questa foto è stata scattata il 16 settembre di vent'anni fa, durante uno spettacolo del comico Grapatax a cui era presente anche il Gran Gerarca, allora sottosegretario al Varietà. Il Gran Gerarca si divertì molto alle battute del comico, e al termine della serata i due si conobbero e divennero grandi amici. A ricordo di quell'incontro, nel corso del Premio dei Premi verrà riproposto il filmato di quella serata e verrà assegnato a Grapatax un premio alla memoria."

– Capisce? – gridò quasi Grapatax – capisce?

– È vero o no che lei andò al tavolo del Gerarca?

– È vero. Ma litigammo ferocemente. Non diventai mai amico di quel fesso! Anzi, quella sera presi il coraggio a due mani e gliene dissi di tutti i colori. Da allora fui sul libro nero del Regime. Non possono mentire così!

– Ma se mandano in onda quel filmato, tutti vedranno cosa è veramente successo...

– Lei conosce bene i compositori di realtà. Hanno mezzi tecnici mostruosi...

– Pensa che il suo monologo sarà ricomposto?

– Ne sono sicuro. Ma io so dov'è il filmato originale, la versione integrale. Lei deve trovarlo.

– Perché non esce da qui e racconta tutto? Perché non fa uno spettacolo clandestino?

– Sono malato. E senza quel filmato non mi crederebbero.

– Dov'è il filmato?

– All'Inferno – disse Grapatax.

Fischiai forte e triste e a lungo.

– Allora non la posso aiutare – dissi – nessuno può entrare là dentro.

– Un mago baol può.

– Io non lo sono più.

– Davvero? Eppure ho smesso di parlare già da un pezzo.

Era vero. Grapatax aveva gli occhi chiusi. Forse dormiva. Stavo ascoltando i suoi pensieri. C'ero caduto. Mi voltai e vidi i nanetti immobili in varie pose, come in un quadro spagnolo. Mara May si ritoccava il frontale.

– Allora che si fa? – disse Raul.

– Abbiamo solo quarantotto ore – aggiunse Nick, piangendo – tra due giorni, come ogni anno, al Palace Vanesium ci sarà il Premio dei Premi. Tutte e ottanta le reti collegate. Anche l'estero.

Prima di andarmene mi voltai un attimo. Sotto la coperta Grapatax russava tranquillo.

Perché farlo? Verità. Solo un poco di verità. Per un vecchio.

– Non posso aiutarla – dissi. Scesi in fretta le scale piene di gente accampata, cani addormentati e bambini sentinella.

7.

In quegli ambienti, settanta metri sottoterra, l'aria condizionata è gelida come sotto una crosta di ghiaccio. Ma è necessaria, per le attrezzature. Lungo il corridoio di marmo ronza il carrello elettrico per i pasti, sospinto da un gastronauta in tuta. Si ferma sopra un vetro azzurrato. Tre metri sotto, in mezzo a schermi e monitor, c'è un uomo con un pellicciotto sintetico. Porta occhiali blu da minatore, mezzi guanti e un passamontagna. L'inserviente picchia sul vetro con un piede. L'uomo alza appena la testa e fa un cenno di diniego.

– Niente oggi, dottor Atharva?

– No, grazie. Ho ancora il latte di ieri.

Il gastronauta scuote la testa. Non vede l'ora di andarsene da quei corridoi gelidi, abitati da pazzi. Sparisce lasciando dietro di sé un triste odor di lasagna. Tutto torna silenzioso.

L'uomo col pellicciotto, seduto su una poltrona girevole, muove le dita su una lunga pulsantiera e accende un monitor collegato con i piani superiori. Stanno facendo un provino per duemila aspiranti a Pubblico Adorante. Ci sono duecento candidati, fermi da un'ora a guardare nel vuoto. Uno sbadiglio, uno sbattere di palpebre, un momento di disattenzione e si è scartati. I più resistenti vengono filmati e passati all'archivio. C'è un continuo bisogno di Pubblico Adorante.

Atharva accende un altro monitor. È una telecamera nascosta nell'ufficio del Selezionatore di Vallette. Spesso si vedono scene piccanti. Ma adesso c'è una selezione di suore per "Péntiti!", il programma di confessioni in diretta di Don Basko, il Prete Pazzo con quamvis altissima audience. Atharva sospira annoiato. Accende un terzo monitor. Il panorama della città, il cielo giallo. Un aereo sta atterrando. Atharva aziona il mouse e lo trasforma in un disegno animato, lo spezza in due con un missile-wurstel e lo fa cadere. Un gioco come un altro. Mette in funzione il monitor personale. Il porno di ieri. L'ha fatto montando insieme i dettagli di un porno tedesco, una pubblicità di collant e alcuni primi piani della ragazza delle pulizie, filmata di nascosto. Lo archivia: non si masturba mai due volte con lo stesso porno.

– Bene – dice Atharva – mettiamoci al lavoro. Piano del giorno?

Il compútero centrale, su cui troneggia un busto in plastica del Gerarca, risponde:

a) visita Gerarca a vittime terremoto. Modifica delle reazioni della gente. Aggiungere abbraccio a bambina con regalo biscotti ben visibili (vedi contratto sponsor) 75" di durata.

b) dichiarazioni capo leader opposizione Amaur. Ridicolizzare. 60".

c) guerra Shama. 734a puntata. Bombardamento chimico come da sceneggiatura. 125".

– Fin troppo facile – pensa Atharva. Mette su un disco. Marce militari. Sempre musica, quando crea. Decide di iniziare da Amaur. Grandangola leggermente l'immagine. La faccia di Amaur diventa gonfia e ottusa. Interviene sulla voce con una distorsione di frequenza, rendendola stridula. Aggiunge un dettaglio. Alcuni presenti che mangiano voracemente attorno a un tavolo, scena presa da un vecchio Festival dell'Opposizione. La inserisce proprio nel momento in cui Amaur parla di torture. Poi inserisce due pause nel discorso, come fossero due indecisioni. Alla fine aggiunge dieci secondi di Amaur che sale su una limousine di lusso. È un vecchio filmato del suo matrimonio. L'ha già usato tre volte, ma funziona sempre.

E adesso la guerra Shama. C'è bisogno di materiale nuovo.

ATHARVA CALL SECT 108.

Si collegò con l'archivio. Sullo schermo apparve la faccia dell'archivista, un giovanotto cieco ed elegante.

– Serve altro materiale sugli Shama?

– Sì, roba nuova – disse Atharva – Bombardamenti chimici. Teschi bolliti. *Andouillettes au napalm*...

– C'è del materiale girato in studio.

– Bene. Basta che sia nuovo. Dopo settecento puntate, la gente ne ha già viste di tutti i colori.

– Va ancora forte, però – ghignò l'archivista.

Le immagini cominciarono a scorrere. Un villaggio carbonizzato. Soldati Shama abbrustoliti come quaglie. Ottimo materiale. Ne selezionò il settanta per cento. Poi avvertì un'insolita sensazione di gelo. Sullo schermo era apparsa una scena confusa. Una figura tra le fiamme. La figura avanzò: era un uomo che bruciava vivo, il volto completamente sfigurato. L'uomo teneva qualcosa tra le mani. Fece alcuni passi verso la macchina da presa, sembrò invocare aiuto, poi crollò a terra. L'immagine scomparve. Atharva era scosso da un lungo brivido.

– Che roba è questa? – chiese. Avrebbe potuto rivederla al ralentì, ma non se la sentiva. Eppure ne aveva viste di peggiori.

– Morte di un guerriero Shama dell'esercito filo-governativo, linciato e bruciato vivo per strada. Girata in studio due mesi fa. Numero d'ordine 6157 – rispose l'archivista.

– Grazie – disse Atharva. Spense lo schermo. Camminò su e giù per la sala, strascicando il suo pellicciotto. Sentì nuovamente freddo e alzò il termostato di qualche grado, cosa insolita per lui che amava vivere sottozero. Si tolse gli occhiali. Una patina bianca gli velava gli occhi. Era quasi cieco per l'esposizione ciberscopica. Si levò il mezzo guanto. Sulla mano destra aveva un tatuaggio. Un ideogramma, a forma di fiocco di neve.

CAPITOLO SECONDO

In cui il mago baol racconta la sua triste storia e come previsto si mette nei guai

Non esiste l'impossibile.
L'impossibile non esiste.

(BAOLIAN, libro V, vv. 154-156)

Io non so se Dio esiste, ma se non esiste
ci fa una figura migliore.

(Galles a un cliente, aprile 1984)

8.

Sono passato dalla stazione. Forse volevo partire. O sognare che arrivasse qualcuno. Ho comprato a un kiosketto un panino al vorreiesserformaggio e magarifossimaiale, e quattro bonsai di fernet. Mi sono seduto a guardare il transito. Passavano giapponesi zainuti che reggevano sulle spalle sacche enormi contenenti forse un altro giapponese pronto a dare il cambio. Iperborei con lunghe gambe color mazzancolla. Tedeschi con valigie addestrate che li seguivano sulle rotelline. Americani con cartuccere di carte di credito. E insieme a loro, emigranti e immigranti frollati da ore di treno, con mogli omofone o allofone, nonne pellerossa, figli meticci biondi con sopracciglia nere, efelidi rosse su volti mediterranei, vergogna e orrore per le Lighe della difesa della razza e del panettone. E poi una ventina di ultrà che augurava morte e menischi a una squadra rumena. E diverse tribù di extracomunitari che cercavano un posto da dormire per la notte.

È arrivato un cellulare di poliziotti e hanno cominciato a controllare i documenti. Ogni tanto sbattevano dentro qualcuno. Due negretti hanno cercato di scappare, mi sono sfrecciati davanti, uno ha perso una scarpa. Li rincorrevano due o tre ramboidi dotati di manganello. Ho eseguito il primo trucco baol che ho imparato nella mia carriera: lo sgambetto.

Mi è riuscito.

Dopo, è toccato a me di sfrecciare.

Ora sto all'Apocalypso. Col fiatone, steso su una sedia come un pugile alla quindicesima ripresa. Galles mi guarda preoccupato e litiga con i clienti. La voce di Grapatax mi risuona nella testa. Al diavolo! Uno non può fare l'eroe tutta la vita. Anzi, il più delle volte non può farlo per più di dieci minuti. Certo, in quei dieci minuti si vedono le cose diversamente. Stasera la città è elettrica. Ci sono un concerto rock, il Motor Show e un'esecuzione. C'è molta gente venuta da fuori. I Preti Pazzi hanno invaso le strade scandendo slogan contro la corruzione dei costumi. Nel quartiere blu hanno ucciso una donna per rossetto non regolamentare. Davanti al Palace Vanesium, dove c'è il concerto, un cantante è stato ucciso da una macchina lanciata dal tetto di una casa. Era il cantante preferito dei socialoschi ed era il sedicesimo nella classifica mensile di popolarità. Si sospetta che l'autore dell'attentato sia il numero diciassette, un noto industriale velista. Farebbero qualsiasi cosa per salire in classifica. Così ora c'è molta tensione, e si spara da ristorante a ristorante.

È passata un'ora. Galles per tirarmi su mi ha preparato un Gordon Pym (ghiaccio, gin e fernet bianco). Una delizia. Mentre tracannavo mi è sembrato di vedere un bruco alto e verde che mi spiava tra le macchine posteggiate, nel giallo malaticcio che piove dall'insegna dell'Apocalypso. È entrato un gruppo di ragazzetti "acid" vestiti da cicloturisti e faceva un gran casino, allegro, ma sempre casino. Poi è entrata una vecchia con chitarra elettrica e carriola con l'amplificatore. Si è messa a cantare quella maledetta canzone piena di ricordi.

Mi han detto che ti piacciono i ragazzi col ciuffo
mi han detto che ti piacciono i tipi come me...

Perché son finito qui? Quando è che le cose han cominciato ad andare storte? Lei era alta e bionda, anche se portava i tacchi ed era tinta. Era una grande prestigiatrice: sapeva distrarre il pubblico: un sorriso, una vampata di capelli, un metro e mezzo di gambe. Ma era brava, proprio brava. Viaggiammo insieme per qualche anno. Ci amavamo. Facevamo l'amore dappertutto (a me piaceva la riva del mare, a lei gli autoscontri). Un giorno la notò un selezionatore del Regime. Un tipaccio con mocassini di visone e un orologio digitale antisismico batipelagico con l'orario delle maree e delle comete. Ma devo interrompere la love story. Il bruco è entrato, e mi guarda.

– Caro, carizzimo, quanto tempo che non ti vedevo. Zei un po' zbronzo, o zbaglio?

Non ci metto molto a capire chi è il bruco. Sono i tre nani, uno sopra l'altro, infilati in una palandrana verde. Quello in cima è Raul.

– Chi è lei? – dico facendo finta di niente.

– Mi chiamo mister Triplex – strizza l'occhio Raul – e mi hanno detto di parlare come un zignore raffinato.

– Prende qualcosa, mister?

Triplex spazzola nove brioches a tre livelli e mi guarda con sei occhi indagatori.

– Allora che si fa? – dice.

– Chi vi ha detto che si fa?

– Guardi come si è ridotto per averci detto di no. Lei è dei nostri, Bedrosian Melchiade Baol.

– Ho detto di no.

– Ha detto di no, ma noi abbiamo capito che era sì.

Sospiro. Hanno ragione gli Gnocchetti. Va sempre a finire così. Aiuterò Grapatax. Come dice il baolian:

> La vita è come l'anticamera di un dentista.
> C'è sempre uno che sta peggio di te.

– Per prima cosa – osservo – ci vorrebbe una mappa del posto.

– Abbiamo di più – disse Bobo sporgendosi dal cappotto – abbiamo dei collegamenti. Parecchi amici. Uno anche nei sotterranei dell'Inferno.

– Questo è il nome del tuo primo collegamento – dice Nick sbucando rasoterra e porgendomi un bloc notes – imparalo a memoria e poi ingoia tutto.

– Dammi solo il foglietto col nome – dico io – non ho appetito.

– Auguri amico baol – dice Raul solennemente porgendomi la mano di Bobo – con il tuo aiuto sono certo che vinceremo e abbatteremo il Regime tirannodittatorialcinicolussista e la sua oppressione capitalstilistanazinformaticogrovigliocatodicopanica.

9.

Quella mattina parecchi Gerarchi si svegliarono di malumore.

Muck, gerarca dei Preti Pazzi, aveva di nuovo fatto un sogno erotico e aveva bagnato il letto, il soffitto e le guardie del corpo.

Badaloni, Gerarca dei Manageri di Dio, era stato avvisato che il Pray-In sull'autostrada, la prima turbochiesa, era stato distrutto in una rissa tra i fedeli che parcheggiavano per la Messa.

D'Antoine, Gerarca dei Vecchi Rampanti, si era svegliato col lifting esploso e non aveva neanche i pezzi numerati.

Enea, leader dei Giovani Rampanti, per tutta la notte aveva chiesto la mano di Aldobrandina, figlia del re della bachelite, e dopo averla ottenuta aveva appreso che le azioni della bachelite erano scese di 3,4 punti, mentre erano salite del 7,6 quelle della sua ex-fidanzata Olga, figlia del re dei pomodori.

Bazuro, leader dei Buffoni di Regime, aveva saputo che la sua audience televisiva era scesa a 80 e aveva avuto un rialzo di pressione a 220, e quando era poi venuto a conoscenza che il compenso del suo rivale Crapulo era stato aumentato a 240, aveva avuto un crollo di pressione a 30 e gli erano state ordinate 100 gocce di coramina, 10 giorni di riposo e 300 milioni di penale.

Birone, leader dei Moralisti Rimborsati, era stato alzato tutta notte per scrivere una stroncatura del libro di un giovane scrittore, accorgendosi solo alla fine di aver scritto lui la prefazione.

Bucci, leader degli Intellettuali Sublimi, aveva visto bocciati tutti e tre i suoi slogan per una marca di fusilli.

Andreopoulos, il Gerarca dei killer professionisti, aveva passato tutta la notte alla finestra cercando di sparare ai travestiti ma non ne aveva beccato nessuno.

Ma era soprattutto Enoch, il Gran Gerarca degli industriali, ad aver passato una notte infame nel suo bunker al centesimo piano dell'Hotel Royal Enoch. Alle tre gli era arrivata la notizia che due sue petroliere si erano scontrate. Erano già dieci, in un solo mese. Lo facevano apposta? Esiste forse una stagione degli amori in cui le petroliere si accoppiano?

In preda a questi dubbi, insonne e agitato, aveva per sbaglio fatto scattare il segnale d'allarme nel bagno, quattro guardie del corpo erano piombate dentro ed essendo il bagno rivestito di specchi si erano sparate addosso.

Alle quattro gli era giunta la notizia che il centravanti della sua squadra di calcio, il celebre Kerbenow, si era rotto una tibia giocando a strega-in-alto con i compagni. Allora guardò la tivùl. E i programmi non gli piacquero. C'erano smagliature nel palinsesto. Qua e là si coglievano sfiducia e tetraggine, noia e persino (orrore!) sofferenza: nella pausa di un cantante, nella mezza frase di un intervistato, nell'occhiata di un giornalista. Dov'era l'euforia del terzo paese più ricco del mondo? Sabotaggi? Sazietà? Virus?

Si fece passare subito al telefono il compositore capo Baldini. Ma Baldini non rispose. Rispose Mazza, capo della sicurezza interna.

– Dunque ha già saputo? – disse Mazza.

– Saputo cosa?

– Il compositore capo Baldini è stato trovato morto un'ora fa davanti al suo monitor. Sospettiamo un attentato.

– L'arma?

– Una bomba o un coltellino svizzero multiusi.

– Dobbiamo sostituirlo subito – disse Enoch – non possiamo lasciare scoperto quel settore un solo momento. Che ne dice di Atharva?

– Con tutto il rispetto, non sono d'accordo.

– Perché?

– Per il suo passato. Il passato, come lei sa, è come certi torturati. Duro a morire.

10.

La lampadina della mia camera d'albergo si è fulminata, o forse si è uccisa. Illuminare posti come questo deve essere durissimo. Perciò leggo il giornale con un po' di luce presa in prestito dalla strada. Leggo del Premio dei Premi e della sicura presenza di tutti i nostri beniamini per regalarci una serata indimenticabile. Leggo di un aereo caduto in circostanze misteriose dieci anni fa, cui è stato abbinato il concorso "Chi l'ha abbattuto?" Cronaca cittadina: un Prete Pazzo è penetrato in una clinica per aborti e ha mitragliato un intero reparto. Ha detto che lo guidava la voce di Dio. Anch'io avevo un amico così. Ogni tanto sentiva venire dal cielo la voce di Dio che cantava "Lucille" di Little Richard. Allora doveva balzare in macchina e fiondarsi in autostrada ai centottanta, fin quando la voce non smetteva. Però lui non ha mai ammazzato nessuno, tolti quei tre-quattrocento gatti. Ho avuto molti amici strani. I baol fanno amicizia in fretta, perché una delle prime cose che insegnano al tempio è come attaccare discorso con chiunque (non è facile, specialmente di questi tempi).

L'ultima cosa che leggo è l'elogio funebre di un noto torturatore. Un mondo di tribù, dove ognuno piange i suoi morti. Un baol deve odiare i nemici? La dottrina baol non è chiara a questo riguardo. La nozione stessa di baol non è chiara. Il poeta Heshi condensò l'essenza del baol in questi versi:

E di notte
di notte
ci va di camminar.

Il maestro Kara condensò l'essenza del baol nel *baol wu shi*, arte marziale del baol codardo o della dignità del fuggiasco. Egli inventò sette stili:

Lo stile della tartaruga (tappati al chiuso e non venir più fuori)
Lo stile del ghepardo (scappa su un albero o su un punto elevato)
Lo stile del granchio (pedala all'indietro)
Lo stile dello scarafaggio (nasconditi sotto qualcosa)
Lo stile della mosca (fingiti morto)
Lo stile della lepre (scappa più veloce che puoi)
Lo stile dell'elefantino (chiama in aiuto degli amici molto grossi)

Si batté battendosela duecentododici volte e non fu mai raggiunto né colpito. La duecentotredicesima affrontò numerosi nemici e ne fece polpette. Perché stavolta non sei scappato? gli chiesero.

– Non mi sentivo bene – rispose.

Disteso sul letto meditai questa difficile e indisponente essenza della mia filosofia e delle filosofie in genere, sentii il gospel delle ambulanze e dei clacson, sentii le stelle che si consumavano e la marea della fame e della sazietà in milioni di corpi, e le molle del letto gemere, e gli infiniti intrecci che in quel momento si preparavano perché io potessi dirigermi verso il mio segreto. La testa mi girò per i troppi distillati di erbe ingeriti quella sera e negli ultimi trent'anni. Mi sedetti nella posizione baol del cane-mendicante-col-secchiello-in-bocca e aspettai. Il lavandino cantava roco. La vecchia tappezzeria Wienerbaum mi ipnotizzò con le sue geometrie. Cominciai a vedere piccole cose nere con antenne che ci correvano sopra. Poi mi sembrò che entrasse un fantasma. Era vestito di bianco e azzurro. Disse qualcosa con tono gentile. Si diresse verso il mio letto. Lì con gesti veloci e aggraziati, iniziò a fare una danza con le lenzuola. Le faceva volare in aria, poi le faceva ricadere come solo i fantasmi sanno fare con le lenzuola. Al termine della danza il letto, che prima recava le disordinate tracce dei miei sonni e dei miei incubi, era miracolosamente liscio e immacolato. Il fantasma aveva portato sul letto la quiete del suo mondo impalpabile. Ciò fatto mi guardò a lungo, come se attendesse un gesto da me. Poi, mormorando qualcosa, si dileguò. Il tempo passava lentò. Ora vi parlerò del mio segreto.

Da quando sono nato, le cose mi hanno abbandonato. Fin qui niente di strano. "Incontrarsi e separarsi è il movimento unico e necessario con cui si traccia il nostro passaggio nel vuoto" (*Baolian*, libro II, p. 184). Ma per me è stato diverso. Le cose mi hanno *sempre* e *solo* abbandonato.

Quando ero piccolo, giocavo con gli amici nelle strade allora alberate della città. I nostri giochi erano per lo più autoreferenziali (si diceva così, tra noi bambini). Eravamo burattinai e burattini, generali e soldatini, ingegneri di piste per palline, tracciatori di limiti e confini. Erano giochi che andavano inventati e coordinati, in cui serviva perciò un fantasista e un organizzatore. Io ero bravo in tutti e due i settori (facciamo che io ero lo sceriffo e voi gli indiani e voi mi prendevate prigioniero e io scappavo e facevo crollare la diga e l'acqua ci portava via tutti e io facevo l'inondazione col secchio). Ed ecco che, sul più bello della preparazione del gioco, mentre correvo tutto rosso e sudato a cercare penne indiane e secchi d'acqua, mi guardavo intorno e ...

Spariti.

I miei amichetti erano tutti spariti. Li cercavo per strade e vicoli, ma non li trovavo più. Magari si rifacevano vivi dopo un mese. E poi di nuovo sparivano.

Perché?

A quattordici anni, comunicai ai miei genitori l'intenzione di studiare da baol. Già da tempo si erano resi conto che non ero adatto a una vita normale, e convenivano che non c'è niente di più bello di un figlio che va per la sua strada. Feci la valigia. Andai commosso a salutarli e...

Spariti.

Non li trovai né in casa né altrove. Misi anche un annuncio sul giornale: "Sono stati smarriti due genitori. Indossano: lei un tailleur vigogna e un cappello con piume di dodo, lui un pigiama rigato con ampia scollatura scrotale e pantofole marmottiformi. Rispondono ai nomi di Bedropia e Bedenek. Chi ne avesse notizie, è pregato..."

Nessuna notizia, mai più. Perché? Eppure so che mi volevano bene.

Avevo un amico carissimo, di nome Piotr. Insieme entrammo nei perturbatori urbani. Lanciammo molotov di centerbe e quadrelli medievali, sabotammo semafori, saccheggiammo cartolerie, scassinammo flipper, decapitammo telefoni, liberammo visoni, immettemmo avanotti, affiggemmo manifesti, pestammo avversari, iscrivemmo proseliti, contestammo missili, coltivammo canapa, rapinammo orefici, amammo, lottammo, credemmo. Io ispirai le sue azioni e lui le mie. Le mie donne erano anche le sue, che io volessi o no. Una notte eravamo insieme a scrivere sui muri della città: "Assassini!" Dopo di noi passava il comitato politico e aggiungeva i nomi degli infami prescelti. Stavamo dipingendo l'argine di un fiume, quando udimmo le sirene della polizia.

– Scappiamo! – gridai. Nessuno mi rispose.

Sparito.

La polizia mi catturò, e il mio amico Piotr non venne in mio aiuto.

Perché?

In galera feci amicizia con un bel tipo. Si chiamava Candido. Una vita difficile. Era entrato in galera a sei anni per aver rubato una giostra. Rifiutò di dire (A) come aveva fatto (B) dove l'aveva nascosta. In carcere scoprì le parole crociate. Grazie ad esse si laureò in geografia e diventò un buon cittadino. Uscì perfettamente recuperato, tranne una piccola idiosincrasia. Non sopportava chi gli diceva: "È inutile che le dica che..." oppure "Non devo certo ricordarle che...". Ne picchiò sedici in un mese. Lo rimisero dentro. Scontò la pena. Quando fu nuovamente rilasciato, il direttore del carcere gli disse: "È inutile che le dica che speriamo di non vederla più qui". Lo strangolò.

Condannato all'ergastolo, si mise a fare sculture con i fiammiferi (galeoni, perlopiù). In cella diventammo amici e insieme elaborammo un grande progetto: la storia del mondo a fiammiferi! Ci preparammo a lungo e una notte, tutti eccitati, decidemmo che l'indomani avremmo iniziato con "La nascita dell'uomo".

La mattina dopo Candido non c'era più. Sparito. Evaso.

Perché?

Poi conobbi lei. Alice. Alice Auck, ricordate questo nome. Già ve ne ho parlato. Alta, bionda, eccetera. La incontrai nel locale dove lavoravamo tutti e due come maghi. Dopo lo spettacolo c'era la selezione regionale del concorso "Sederino d'oro". Si aggiravano culi dentro mantelli da kuklux-klan. Era difficile fare conversazione. Non eravamo in giuria, perciò la invitai a ballare nella sala piccola, dove c'era l'orchestra.

Dissi al pianista: "Suonami il solito, per favore".

Lui attaccò il tema di Perry Mason, la sigla del mio numero con l'oca. Non era proprio quello che volevo, ma ballammo ugualmente.

Io le raccontai la mia vita fino a trent'anni.

L'orchestra suonava "Mi han detto che ti piacciono i ragazzi col ciuffo".

Lei mi raccontò la sua vita fino a ventidue anni.

L'orchestra suonava "Zobie la mouche".

Io le raccontai la mia vita dai trenta in poi.

L'orchestra se ne andò a dormire.

Provai a baciarla e lei disse no ti prego no non ora, io le

chiesi perché? lei disse perché voglio che succeda nel momento giusto e io le dissi questo è il momento giusto e riprovai a baciarla e lei disse no ti prego no, non ora.

La donna delle pulizie cantava "Nessun dorma".

Io la strinsi più forte e lei non si sottrasse alla mia stretta, potevo sentire il suo cuore battere insieme al mio. Le dissi: non ho mai conosciuto una donna come te e lei altrettanto.

L'orchestra era tornata e suonava i Guns and Roses.

Improvvisamente, mentre le raccontavo il mio trentaseiesimo anno di vita, e precisamente un trasloco nel quale avevo perso dei calzini a me molto cari, vidi dipingersi sul suo volto il momento giusto: la baciai, e lei altrettanto.

L'orchestra applaudì lungamente e il contrabbassista venne personalmente a congratularsi.

Poi io dissi: andiamo da me o da te?

No ti prego, disse lei, la prima volta vorrei che fosse in un posto speciale.

Io abitavo nella pensione Astra alla camera sei, lei alla camera sette. Prendemmo la camera otto, matrimoniale con bagno e vista su casse di birra.

Ci amammo due anni, sei mesi e tre giorni.

Lei ogni notte si alzava e andava alla finestra. La ricordo con la schiena nuda, il lenzuolo attorno alle reni come una statua, i capelli, un'onda di splendore che traboccava, le luci della notte, un dito che tracciava figure incerte sulla finestra appannata.

Io mi svegliavo per il cigolio e le dicevo:

– Dormi?

E lei:

– No.

– Pensi?

– Sì.

A questo punto mi riaddormentavo. Avrei forse dovuto starle più vicino? Avrei dovuto chiederle a che cosa pensava?

Una notte presi sette caffè per stare sveglio. La sentii alzarsi dal letto e andare alla finestra. Sembrava triste, forse perché quella volta la finestra non era appannata e non poteva disegnarci sopra. Aveva anche dimenticato il lenzuolo.

– Dormi? – le chiesi.

– Sì – disse lei.

Ci pensai un po' su, poi mi riaddormentai. Forse aveva voluto dirmi qualcosa, ma io non avevo capito. Non le ero stato vicino neppure in quel momento. La mattina quando mi svegliai non c'era più. Sparita. (Perché?) Il portiere disse addirittura che aveva sempre creduto che nella nostra camera abitasse una sola persona. Dov'era andata? Eppure ero certo che mi amava. È forse questo il segreto della mia vita baol?

Tanto tempo è passato. Sono sempre stato solo, da allora. Solo come ora, mentre in quest'alba violacea piloto la mia Zaz rossiccia sull'autostrada grigiastra che porta fuori città, dal Groviglio verso il Silenzio. Attraverso polvere e ruggine che galleggiano nell'aria, là dove non è né città né campagna, né fiori né deserto, dove un sole preistorico illumina colori chimici. Passo davanti ai campi di concentramento per tossicodipendenti e ai silos di droga. Sono diretto ai palazzi del Paradiso.

La radio gracchia un rock malefico. Elicotteri ronzano nel cielo. Forse pioverà.

11.

Il compositore Baldini era diviso a metà, come se un'accetta gigante scesa dal cielo lo avesse tranciato lungo la colonna vertebrale. La metà sinistra era seduta, con la mano ancora posata sulla tastiera del mix e un'espressione assolutamente normale sul volto. Imbalsamato e messo di profilo, forse nessuno si sarebbe accorto che era defunto. La metà destra era caduta qualche metro più in là, aggrovigliata in modo orribile, e uno spasmo di dolore contorceva la mezza mandibola.

– Choc dell'emisfero cerebrale sinistro e corrispondente parte destra – disse il dottore – così fulmineo che il dolore non ha raggiunto l'altra parte del corpo. Così è la morte per rasoiata di laser.

– Possiamo dire – sorrise Atharva – che per metà è morto serenamente.

– Possiamo – concesse il dottore, mentre con aria professionale intingeva i suoi strumenti nella mezza aragosta dell'emisalma.

Atharva consultò febbrilmente i dati degli ultimi lavori di Baldini. Baldini era addetto alla difesa del sistema informatico dai virus, in primis i virus di realtà. Recentemente era alquanto depresso perché un virus misterioso aveva distrutto novanta milioni di informazioni sui campionati di calcio 1960-1980. Per fortuna conosceva i risultati a memoria. L'insuccesso, però, lo aveva reso nervoso. Ma nessuno avrebbe immaginato quel gesto estremo.

– Questo è il messaggio che avete trovato? – chiese Atharva.

– Sì – disse il poliziotto – era sulla stampante del computero.

LA VENDETTA SHAMA – FA LA POLIZIA CON DIVERSE VOCI – ADDIO VERONICA LAKE!

– Chi ci capisce qualcosa? – disse il capo della sicurezza interna, capitano Mazza.

– Mi sembra tutto chiarissimo. Si è ucciso con il laser disegnatore. Ha invertito il flusso. Sapeva farlo – disse calmo Atharva.

– Sto parlando del messaggio. Secondo me voleva dirci qualcosa. Qui c'è lo zampino degli Shama.

Atharva si mise a ridere sgangheratamente. Il capitano gli fece cenno di smetterla.

– E quella frase sulla polizia? E Veronica Lake?

– Era la sua attrice preferita. Metteva sempre il suo ologramma nei filmati. Aveva anche una bambola meccanica di gomma identica a lei. Ci usciva la sera. Mi ricordo che una volta si sgonfiò a una prima teatrale e il rumore fu assai imbarazzante.

– Io dico che questo è un attentato Shama – disse torvo Mazza, e uscì con aria rabbiosa, strascicando la coda dell'uniforme. Atharva rise nuovamente. Diede un'occhiata al parco computeri della sala. Al suo occhio esercitato non sfuggiva un solo particolare.

– Perché è così sicuro che non sia un attentato? – disse il dottore – non è forse vero che alcuni Shama immigrati clandestinamente stanno preparando azioni contro di noi?

– Verissimo – disse Atharva – sarò io a occuparmene.

– In che senso?

– Dovrò far arrivare gli Shama in città. Far loro compiere aggressioni, rapine, attentati, eccetera. Ma ancora non ho cominciato. Quindi non sono stati loro a uccidere Baldini. *Loro* sono ancora nel mio cassetto.

– Cosa significa? – chiese stupito il dottore.
– È semplice. Gli Shama *non esistono più*.

– Lei conosce bene gli Shama. Crudeli e atei, con le loro pitture di guerra, i loro sfrenati costumi sessuali, le loro malattie contagiose. Da anni la loro guerra fratricida è affettuosamente seguita dai nostri organi di informazione. Guardando i loro massacri si dimenticano tutte le altre guerre. Tutte le guerre sembrano ragionevoli, se confrontate alle atrocità della guerra Shama. Sparandosi feti incendiati, torturandosi con gas chimici, avvelenando hamburger, acquedotti, plasmon, gli Shama rendono giustizia alle nostre puntuali operazioni di polizia, alle nostre doverose repressioni, alle nostre sacrosante rappresaglie. Guardando una nostra nobile parata militare, possiamo pensare che queste siano le stesse armi usate nella guerra Shama? No, certamente.

Vuole sapere la verità, dottore?

La guerra nel paese degli Shama iniziò vent'anni fa, quando fu scoperta la pápara. La pápara è un albero masticando la cui corteccia gli Shama sono immuni da infarti, hanno grande potenza sessuale e vivono in media fino a centoventi anni. Essendo il presidente degli Shama riluttante a vendere le piantagioni di pápara, il nostro paese pensò bene di armare i suoi oppositori. A sua volta il presidente fu armato da un altro paese. Trentasei paesi intervennero nella gara di aiuti militari alle fazioni Shama. All'inizio della guerra c'erano tre carri armati e mezzo per abitante. La guerra durò due settimane. Non sopravvisse neanche uno Shama. La pápara si rivelò un fallimento.

Quando era già pronto il lancio per "il cibo più ecologico della terra" si scoprì che per ottenere i benefici effetti bisognava mangiarne cinque chili al giorno. Questo per gli Shama non costituiva un problema, essendo la pápara il loro unico cibo. Ma per un civile consumatore occidentale era impossibile, essendo la pápara un misto tra una carta assorbente e un baccalà, con vago sapore di fecaloma. Centinaia di tonnellate di pápara marcirono nei magazzini. Ma sorse un problema ancora più urgente. Come sostituire le crudeli immagini della guerra Shama, che tanto benefico ribrezzo avevano suscitato negli spettatori? Come rinunciare a frasi ormai entrate nel gergo corrente tipo "Non siamo mica shama" o "Non comportarti da shama"? Semplice.

La guerra fu prolungata con un componimento di realtà. Al materiale di repertorio vennero aggiunte scene filmate in studio. Un'équipe di sceneggiatori militari curò le varie puntate. Da quattro anni la guerra è sempre più frenetica e crudele. Ma *non esiste*. La inventiamo noi ogni giorno. Esistono molte guerre vere, sulle quali possiamo benissimo sorvolare. La guerra Shama, invece, deve continuare, e la prossima puntata, come lei dice, è l'invasione delle nostre città da parte dei sanguinari Shama. Attentati, sabotaggi, omicidi. Tutto nel mio cassetto. Prossimamente sul vostro schermo.

– Balle – disse il dottore, e raccolse in fretta i suoi strumenti, guardando con paura Atharva. Lo aveva sempre trovato strano. Non c'erano le sue note mediche nell'archivio. Nessuno aveva mai visto altro che quel po' di faccia che spuntava dal suo bizzarro abbigliamento. Non era mai stato malato. E forse... Ma era meglio svignarsela.

Mentre i poliziotti portavano via i resti mortali di Baldini, Atharva scivolò silenziosamente nella saletta dei computeri privati.

Riconobbe subito il vecchio Personal del compositore capo, con la foto di Veronica Lake e i soldatini nordisti. Con un lampo di soddisfazione notò che era acceso su un elenco di linguaggi. Li fece scorrere:

Atarian, Atman micro, Atman giant, Bold, Cheapstone, Difensive Surgeon, Difensive Zero, Duluth, Eat, Eliot One, Eliot Two.

– Lui fa la polizia con diverse voci – pensò Atharva – la prima versione della *Terra desolata* di Eliot.

Eliot one. LINGUAGGIO PARODICO PER FALSI DISCORSI FU-

NEBRI DI CAPI DI STATO. CHIAVE DI ACCESSO ALLE COMPOSIZIONI: due parole.

Troppo facile:

VERONICA LAKE, batté il dito di Atharva.

E sullo schermo, dopo pochi secondi, apparve il messaggio segreto di Baldini:

"Per chiunque riesca a decifrare il mio testamento. Mi uccido perché non riesco più a sopportare l'orrore degli ultimi filmati Shama. Sono diversi dagli altri! Sta succedendo qualcosa, non so più cosa. Lascio la mia Veronica al dottor Grabinsky perché la metta vicino al suo Schwarzenegger di pongo. Possa Dio aver pietà della mia anima lercia. Il Gerarca è un porco! Addio."

Atharva restò impassibile. Con una rapida operazione distrusse per sempre la memoria del testamento dal computero e dalla pietà degli uomini.

12.

Quando arrivai al Paradiso, il quartiere dei palazzi dell'Ente Spettacolo, decine di pullman scaricavano esseri umani per i provini. Un grande tabellone luminoso indicava le entrate per la selezione e gli ultimi dati di audience. Il mio contatto doveva avvenire all'Entrata quattro, quella per sassofonisti, camminatori su braci e Pubblico Colto. Decine di ragazzi e ragazze, in maglietta con la scritta "I love Sonfiero" e berretto da carabiniere anni '50, si accalcavano davanti a pochi poliziotti impasticcati. Urlavano in varie tonalità dall'isterico all'esausto.

Cercai di farmi largo tra i fan, ma non era facile. Mi ritrovai mezzo abbracciato a una tombolotta fardata che colse l'occasione per vederci meglio salendomi sulle spalle.

– Peso? – chiese educatamente mettendomi una scarpina da ginnastica in bocca.

– Stia comoda – risposi – Chi è questo Sonfiero?

– Non conosci Sonfiero? Sonfiero Diesser, quello di "Paese Mio", "Senza di te non so stare neanche un po'", "Una ragazza alta così tu sei", "Amore carabiniere", "È vero che il tuo cuore a volte fugge", "L'amore è un gabbiano"...

– C'è un suo concerto? – tagliai corto.

– No – disse la tombolotta – aspettiamo di entrare per

il provino, ma lui non ci sarà. Mettono su la sua musica e noi giù a urlare strillare sgranfignarci la ghigna dar di matto. Poi, se passiamo il provino da Entusiasti, allora veniamo ammessi alle riprese tivùl del concerto. Mi vien male solo a pensarci... potrebbe lanciarmi per favore, così guadagno qualche metro?

La lanciai.

Gironzolai un po', cercando di darmi un contegno da comparsa, in mezzo a centinaia di provinaturi che provavano passi di ballo, acuti, imitazioni di ranocchie, barzellette. Mi trovai tra le coppie ammesse alla selezione di "Family Match", lo spettacolo di litigi in diretta. Si stavano allenando. Schivai per un pelo l'unghiata di una casalinga e lo sputo di un suocero. Molte cose erano cambiate da quando lavoravo nello showbiz. Un grosso camion venne avanti strombazzando. Guardando tra le fessure delle assi vidi una cinquantina di modelle stipate una attaccata all'altra. Una di loro cercò di infilare una mano tra le assi per richiamare la mia attenzione.

– Acqua – disse con un filo di voce.

Ma subito il camion si allontanò ed entrò a tutta velocità nei cancelli del Paradiso.

– C'è veramente di tutto qui, vero? – disse una voce profonda alle mie spalle.

Mi voltai. Un uomo tutto vestito di nero, magro, con baffi sottili e l'aria di un ballerino di tango. I capelli erano fissati al capo da una colata di gel. Erano così lucidi che gli si specchiavano dentro le nuvole.

– Già, proprio di tutto – risposi.

L'uomo dal cielo in testa mi offrì un sigaro profumato, che accese con uno zippo incrostato di perline. Aveva l'unghia del mignolo laccata in viola e un anello di macadam. Un vero sciccoso.

– C'è una vera confusione baol – disse l'uomo.

– Come mi ha riconosciuto? – dissi un po' sorpreso.

– Nel mio mestiere ho imparato a vagliare le persone. Permette? Sono Amadeus Politropo, conversatore governativo di prima categoria. Vogliamo andare a bere qualcosa?

Ci sedemmo a un bar all'aperto. Ordinammo un fernod e un pernet. Mi sorrideva benevolo. Non sembrava proprio un agente segreto ribelle (ciò provava che lo era!).

– Sapevo che esistevano i conversatori governativi – dissi – ma non ne avevo mai conosciuto uno.

– Naturalmente – disse Politropo – il nostro mestiere è segretissimo. Il nostro compito è quello di andare in giro per la città e conversare. Attizzare con le nostre conversazioni l'argomento del giorno. Anzitutto la Furiosa Polemica (sa come dice la regola giornalistica: se due persone dicono di litigare per le proprie idee, sembrerà che abbiano davvero delle idee), poi il Premio dei Premi, il Segreto della Principessa, il Discorso dello Stronzo, la Lettera Anonima. E oltre che attizzare, dobbiamo spegnere gli argomenti che interessano da troppo tempo o suscitano troppi interrogativi. Di tutto dobbiamo parlare. Siamo erbari di metafore e arguzie. E intenditori di stopper. E pettegoli di bassa lega. E teorici della complessità. Sappiamo essere irosi e dolci, competenti e arroganti, precisi e bugiardi. L'importante è che si chiacchieri. E soprattutto che non ci si allontani dallo Spirito dei Tempi. Per questo ci pagano.

– E fate anche le spie.

– Naturalmente – disse Politropo sorseggiando – ma di rado. Non è sempre male che si parli male.

– E adesso di cosa parliamo?

– Anzitutto non parli sottovoce. Faccia ampi gesti con le mani. Si finga lievemente irritato. Scuota ogni tanto la testa in cenno di diniego. Qualcuno potrebbe controllarci. Sono abilissimi a captare irregolarità nelle conversazioni.

– Allora! – dissi io puntandogli un dito sulla spalla – mi vuole dire come posso avere un posto di mago in questo maledetto show?

– Così va bene... allora il suo uomo, il contatto interno, lavora al reparto compositori. Conosco solo il suo nome in codice: "Alice". Perché fa quella faccia? Lui potrà aiutarla, almeno all'inizio. Per entrare lì dentro, invece, c'è un solo mezzo: infilarsi in un provino. Forse ce n'è uno adatto a lei.

– Ballerina?

– No. Caviglie troppo grosse. Potrebbe fare la guardia del corpo rock. Lei ha combattuto nei reparti speciali di Gioia e Rivoluzione?

– Perché me lo chiede? Tanto sapete già tutto.

– Ottimo. Si presenti all'entrata undici, chieda del Serpente e si faccia riconoscere.

– Obbedisco – dissi, ingollando l'ultimo sorso di fernod. Stavamo per alzarci, quando la mole di un uomo massiccio oscurò il tavolo. Aveva un cravattino fosforescente e un sorriso da angiolone. Ma lo sguardo era da iena. Era come se avesse scritto "spia" in fronte.

– Caro Politropo – disse – posso sedermi al vostro tavolo?

– Il mio amico sta andando a un provino – disse calmo Politropo.

– Ah bene, bene, vi ho visti così accalorati nella conversazione – disse l'angiolone – sport, immagino.

– Certo. Parlavamo del gioco duro.

– E cosa ne pensa il suo amico? – disse l'angiolone con sguardo inquirente.

– Il calcio è un gioco maschio – dissi io – e un calciatore professionista guadagna fior di milioni. Vorrei esser io al posto suo, e poi se mi becco un calcio nella gamba mica sto a frignare... sa cosa guadagnano quelli in un giorno? Quello che guadagno io in un mese... e in quale mestiere a vent'anni puoi averci già la Porsche e la villa sulle colline, e solo perché sai dare due calci a un pallone? e si lamentano anche! È tutta colpa della televisione: le racconto cosa mi è successo ieri...

– Veramente io dovrei andare – sbuffò l'angiolone.

– No, no, aspetti... dunque, stavo parlando con mia moglie della telenovela "Lotta per il potere", lei avrà certo visto l'ultima puntata... allora c'è Ester, la bruna buona che ha avuto l'incidente in macchina con Nora la bionda cattiva e sembra morta bruciata poi si salva e le fanno la plastica facciale, e senza dire che è lei si ripresenta da Nestor il suo uomo che però è fedele a lei, cioè a lei prima dell'incidente e cerca di sedurlo ma lui dice no, allora lei si convince che lui la ama ancora e si fa rifare una riplastica facciale per tornare come era prima. Ma intanto Nestor disperato perché non sa più se ama lei o quell'altra con la plastica va fuori strada con l'auto e gli fanno la plastica facciale e sembra un messicano, allora lei torna con la faccia vecchia ma vede lui con la faccia nuova e non lo vuole più. E sa cosa sosteneva mia moglie?

– Ci vediamo – disse l'angiolone, e con tre balzi si dileguò nella folla.

Modestamente quando voglio anch'io so essere un buon conversatore.

13.

All'entrata undici chiesi del Serpente. Era un tatuato che masticava una gomma detta americana e portava una giacca detta a vento mentre noi attendevamo il turno in fila detta indiana.

Davanti a noi c'era un ragazzo pallido, con un giaccone su cui era affrescato un rockettaro celtico, roteante una chitarra a guisa di spadone. Si voltò e mi disse:

– Credi che oggi la mia vita cambierà?

– Ne sono sicuro – risposi.

Arrivò il nostro turno. Il Serpente valutò con uno sguardo pigro il ragazzo pallido.

– Cos'hai fatto prima? – chiese.

– Ho fatto la comparsa in ruoli violenti, specialmente stupratore, isolato o in collettivo, ho fatto tre volte lo zombie, ho partecipato a "Vocinuove" con una mia canzone "Carezze", ho fatto il travolto in una Pubblicità Progresso sulla guida in stato etilico. Sono mimo, scenografo, coleottero...

– D'accordo, bello. Ma hai mai fatto la guardia del corpo?

– Sono cintura marrone di karaté: ho studiato col maestro Albano Pesci diplomato a Okinawa...

– Non basta, non ci servi.

Il ragazzo si mise a respirare affannosamente e strinse i pugni. Pensai che stesse per dare un'esibizione di karaté sul posto. Poi scoppiò a piangere.

– Se non mi prende io ingoio due lamette da barba, qua davanti a tutti – urlò.

– Sparisci – disse il Serpente.

– Te lo giuro, bastardo, te lo giuro! O mi fai passare o ingoio due lamette! – Si frugò in tasca, affannosamente.

– Su, calma – dissi io.

– No! Ce l'ha con me, quel bastardo! È già due volte che mi scarta. Non mi ha voluto neanche come vittima di Lager. Ma io mi ammazzo davanti a tutti. Avrebbe due lamette da barba per favore, signore? Le avevo in tasca ma non le trovo più...

– Mi dispiace – dissi – mangio solo rasoi elettrici. Forse è meglio che tu vada a casa a calmarti.

Non si fece pregare. Anche perché un energumeno in tuta lo afferrò per un braccio, torcendoglielo, e lo scaraventò via.

Mi presentai davanti al Serpente, che l'incidente non aveva messo di buon umore. Alzò gli occhi su di me e vide subito il tatuaggio sul dorso della mano. Lo tenevo bene in vista.

– Caro Bed – disse – da quanto tempo non ci vediamo...

– Tanto che me lo sono dimenticato – risposi io.

– Questo è un professionista, caro Machete – disse il Serpente all'energumeno. – L'ho visto in azione e ti assicuro che è meglio non litigarci. Il tuo provino è al teatro undici, Bed. Vai con Machete e buona fortuna.

Lo ringraziai con un educato inchino. Machete mi si mise al fianco, senza degnarmi di uno sguardo.

Attraversammo un viale desolato, in mezzo ai capannoni. Si vedeva solo qualche poliziotto e, qua e là, pezzi di vecchia scenografia. Un fondale con una banchisa polare, un cannone di cartone, uno pterodattilo di gomma. Il teatro undici era un capannone nuovo, tutto in alluminio, con migliaia di riflettori annidati in alto come pipistrelli. Al centro c'era una tavola imbandita con ogni ben di Dio. Poi una cinepresa e quattro sedie. Tre sedie erano già occupate in modo considerevole. L'altra era per me.

Entra un tipo con una camicia che sembra una frittata di farfalle, spelacchiato ma col codino, e ben pasturato a coca.

– Chi siete? – dice nervosamente.

Due omoni distinti, genere notaio skinhead, dicono:

– Siamo i terribili fratelli Paroli, il biondo e il bruno.

Un uomo largo come i due fratelli Paroli messi insieme, con un vestito argenteo, tipo kimono di domopak con fodera dalmatata dice:

– Sono René la Mucca, ex-campione mondiale di catch.

Mi alzo e dico:

– Sono Bed dell'agenzia Zoccolo Duro.

– State seduti lì – dice Frittata-di-Farfalle. – Vi devo filmare.

– Ma è per un posto di guardia del corpo o di principe azzurro? – dice René la Mucca.

– Silenzio! Se vuole fare la guardia del corpo di Sonfiero Diesser, il più grande cantante di rock patriottico del paese, lei deve essere fotogenico, telegenico, sinergenico. Lei non sa in quante foto e filmati finirà la sua faccia!

– Cazzate – dice René la Mucca.

– Su ragazzi – dice Frittata-di-Farfalle – siate disinvolti, non state lì come macigni, parlate, ridete, baciatevi.

– Quello lì è matto – dice René la Mucca.

– Una volta era tutto diverso – sospira il Paroli bruno – una volta facevi la guardia del corpo e basta. Un ringhio, un cazzottone in faccia a chi si avvicinava e via. Adesso...

– Non ditelo a me – dice René la Mucca – ho fatto per anni la guardia del corpo al conte Diofebo Brown, quello del dado da brodo vegetale. Un vero signore. Lo accompagnavo al ristorante, mi faceva sedere al tavolo vicino al suo e mangiavo come un pitone; intanto lui faceva il galante con le sue amanti. Non aveva paura dei rapimenti: aveva paura dei macellai. Riceveva spesso lettere anonime con dentro una polpetta e un biglietto: "Finirai così, vecchio dadoso". Invecchiando gli vennero parecchie manie. Voleva che portassi la pistola. Cominciò a dispiacersi perché nessuno voleva rapirlo. Comprò la macchina blindata, esigeva che io perquisissi tutti i posti dove andavamo. Macché! Nessuno ce l'aveva con lui, era vecchio e non era più neanche ricco, l'azienda di dadi da brodo era in rovina. Dovetti organizzare un finto rapimento con alcuni amici, e sventarlo. Fu molto contento: ne parlò fino alla morte.

– Gente con quello stile non ce n'è più – disse il Paroli biondo. – Adesso siamo guardie del corpo di un gerarchetto. Un orrore. Da una festa all'altra, con la moglie carica d'oro come un contrabbandiere. Insieme a questi gorilla giovani, fanatici, tutti con il mitra israeliano e lo shuriken con le iniziali.

– Non conoscono Lacenaire – dice il Paroli bruno. – Leggono solo riviste di culturismo. Si drogano di filetti al sangue.

– E i loro padroni! Vogliono che picchiamo i camerieri solo se tardano un po' a servirli. Da quando sanno che il Gerarca capo si è fatto costruire il bunker in cima all'albergo, lo hanno voluto anche loro. Ci tocca di dormire sui tetti in tuta mimetica.

– E che discorsi! Il mio padrone vuole sempre che gli racconti della Legione Straniera. Ma mica ci sono stato io nella Legione Straniera: ho fatto l'Isef. Allora mi tocca di inventare un sacco di balle, il fortino nel deserto e il morso dello scorpione e il feroce sergente Duchamp.

– E in auto? Ai centottanta a sirene spiegate anche per andare dal sarto. Cambiamo un treno di gomme alla settimana.

– E lei con chi lavora? – mi chiede René la Mucca.

– Io faccio la guardia del corpo a un grossista di mangimi – dico io – una gran brava persona.

– Basta così per il provino – dice Frittata-di-Farfalle – siete stati veramente orribili. Adesso la prova pratica.

Si apre la porta del capannone. Entra un ragazzo con i capelli corti e un costume tra carabiniere e torero, compreso lo spadino. Dietro a lui una corte osannante. Il ragazzo guarda con freddezza il tavolo imbandito, e subito alza un sopracciglio contrariato. Tutti tremano.

– Me ne vado! – urla all'improvviso pestando i piedi – pezzi di merda, me ne vado!

– Cosa c'è Sonfiero? – dice Frittata-di-Farfalle – cos'è che non va?

– Avevo chiesto: dieci litri di succo d'ananas ghiacciato, due cesti di papaye e babachi, del roast-beef tiepido, del carpaccio di capriolo, dodici birre cinesi, valium, pinoli, cioccolatini alla menta, caffè americano, tè freddo, ovomaltina, vodka al limone, un chilo di uva greca, cento coche, crostini caldi, caviale Lodszynski e dieci asciugamani profumati al sandalo.

– E non c'è tutto?

– Mancano i pinoli.

– Perdio Sonfiero, questo non è un concerto, è solo un provino per le tue guardie del corpo. Non puoi accontentarti?

– Sei un manager di merda – sibila Sonfiero – hai letto cosa ha voluto Bidster Baum quando è andato a togliersi il dente del giudizio? Sei gelatai in camera, con attrezzature complete. È forse più bravo di me?

– Troveremo i pinoli – urla Frittata alla corte – andate a cercarli! E non chiedetemi come e dove. Abbattete una pineta se necessario, ma trovateli!

La corte schizza via. Sonfiero sbadiglia e sbocconcella papaya.

– Senza pinoli, non comincio...

Frittata crolla su una sedia e si spara una zuccheriera di bumba su per la canappia.

– Siamo nella merda – dichiara.

Senza farmi vedere, eseguo il dodicesimo trucco del Terzo Fiore Baol. Materializzo un sacchetto di pinoli dalla tasca e lo metto sul tavolo.

– Ehi – dico – i pinoli sono lì, dietro l'uva.

Così possiamo cominciare. Sonfiero Diesser sta seduto comodamente al tavolo e fuma e beve e rosicchia. Dall'altra parte, dentro una gabbia di vetro blindato, ci sono cento fan scatenate che premono, completamente impazzite alla vista del loro idolo. Ne liberano una ventina alla volta. Bisogna impedire che arrivino a toccare Sonfiero. Se una sola lo sfiora, perdi il posto. Però quella che lo tocca ha il diritto di andare al concerto in prima fila. Perciò le ragazze son molto determinate. Alcune sono armate di spilloni da capelli, altre hanno il casco. Sarà uno spasso.

– Avanti i primi due – dice Frittata-di-Farfalle.

I fratelli Paroli si dispongono davanti a Sonfiero, come portieri a difesa della rete.

– Liberate le pazze – dice Sonfiero.

Ne arrivano due dozzine, ululando come lupesse. Paroli biondo ne stende subito quattro a sberle, una gli dà una spillonata nella coscia, Paroli bruno la prende e la spalma sul muro, altre sei attaccano dalla sinistra, i fratelli le incantonano e le frollano a calcioni, ma ce ne sono altre due tostissime, una con la lacca spray acceca il biondo, l'altra spara calci nei coglioni del bruno, ma il bruno ha la conchiglia, le solleva e scontra le testoline, ne arrivano altre quattro armate di catene da motorino, la lotta è epica, il biondo cade tirandosene dietro tre, il bruno ne rotea una per i capelli e la lancia contro il mucchio, ma dalle retrovie piombano le ultime due, il biondo ne ferma una lanciandole un manganello tra le gambe, l'altra gli tira un'elasticata in un occhio e sta per toccare Sonfiero, quando con un tuffo disperato da rugby il bruno la stende. Fine. Arrivano le barelle.

– Non c'è male – dice Frittata – però siete un po' lenti. Avanti gli altri due.

Io e René la Mucca ci guardiamo.

– Siete pronti? – dice Sonfiero ghignando.

Dietro al vetro sono pronte in venti ancor più piccole e scatenate delle precedenti. Hanno zainetti multicolori pieni di armi. Una rotea in aria uno Snoopy imbottito di pallini. Un'altra è in Vespa.

– Siamo pronti – dico – però avrei un'obiezione.
– Cioè?
– Il carpaccio non è di capriolo.
– Stai zitto, stronzo! – urla Frittata.
– È una questione di principio – dico io – ho lavorato vent'anni come buttafuori al ristorante Bon Bon, col re dei cuochi francesi, monsieur Ouralphe. So riconoscere un carpaccio vero da un carpaccio succedaneo. Quel carpaccio è di volgare manzo!

Scoppia un casino grandioso. Sonfiero Diesser ha una crisi isterica e strappa il codino al manager. Le ragazze, vedendo il loro idolo adirato, si mettono a strillare e premono contro il vetro che scricchiola sinistramente. Io e René la Mucca ci lanciamo un nuovo sguardo d'intesa. Proprio mentre il vetro si spacca e ottanta fans scatenate irrompono come piranha fuori da un acquario, noi scappiamo per l'uscita di sicurezza. Mentre scendiamo giù per buie scalette di ferro, sentiamo urla orribili e strider di dentini.

Stanno divorando Sonfiero Diesser.

14.

Il Premio dei Premi / sarà una grande / lussuosa trasgressiva serata / – diceva il Gerarca dallo schermo, parlando con lunghe pause, come suggeriva il Prontuario Retorico dell'Attesa Spasmodica, ovverosia il Manuale di Tecnica Infrapneumatica di Dilatazione Concettuale, ovvero il *De longius nihil circumducere* nonché l'*Importance fondamentale des mots Suspendus* ovvero il *Time-Out Talking*, testi sacri degli attori e dei politici contemporanei.

Atharva guardava svogliatamente. Aveva abbassato ulteriormente la temperatura e numerosi ghiaccioli si erano sparsi sui computeri e sul suo pellicciotto. Quando si muoveva tintinnava come un albero di Natale.

– Mi raccomando a voi, amici compositori – proseguì il Gerarca – voglio tanta gioia domani sera / ricordandovi che nel corso / del Premio dei Premi / verranno premiati tutti i premiati / premiati nel corso dell'anno / inoltre verranno premiati / cinquanta cittadini benemeriti / morti senza essere stati premiati / ecco l'elenco degli ospiti / per primo...

Atharva spense il computero. Conosceva a memoria la procedura di quelle celebrazioni sempre uguali. Le finte biografie dei premiati, le interviste rievocative, i rimontaggi delle interviste, i tagli, gli omissis. Ordinaria amministrazione. Forse lavorare sul monologo di quel Grapatax poteva essere interessante. Lavorare sul comico è difficile. Tempi precisi. Etimologie che spuntano. Parole che esplodono. Alta precisione, orologeria. Il fine segreto del caos. Difficile cambiare anche solo una parola. Ma si può fare. Tutto può diventare reale.

Si sedette di colpo, rabbrividendo. Di nuovo quel malessere. Il pensiero di quel filmato. Aveva di nuovo freddo, molto freddo. Ma a lui il freddo normalmente piaceva. Sorseggiò pensoso il suo latte alla menta. Con calma, consultò la sceneggiatura della guerra Shama. A pagina 106, come prevedeva, non c'era affatto la scena della figura bruciata. C'era invece una visita guidata dell'inviato Mike Torrebruna in una fossa comune Shama. Ma la scena inquietante era lì, si era fatto portare la cassetta. E lui non aveva voglia di rivederla. Perché?

Cercando di dominarsi ne fermò l'ultimo fotogramma, con la figura ormai carbonizzata a terra. Il numero di schedatura era RC-6157. RC stava per Realtà Composta. Ma Atharva non ci credeva. Cercò sul computero l'informazione 6157.

Diceva:

"Un minuto e venti secondi a colori; pellicola 70 mmm. Filmato in studio il 13 luglio. Regista: C. Dodgson. Attori: agenzia stuntmen Saltarelli".

Cercò subito il nome Dodgson. Non era nella lista dei Registi Senatori, né nei Benemeriti né nei Premiati né in quelli della Scuola di Stato. Non era neanche nella lista Figli di, Amanti di, Cugini di, Fedeli di, Mandati da. Cercò nella categoria Pronti a Tutto, Portaborse, Compositori in Aggiornamento, Bravi Ragazzi Indipendenti Ma Non Troppo. Nessuna traccia. Quindi Dodgson non esisteva. Nessun regista che non fosse iscritto alle predette categorie avrebbe mai lavorato in un Ente Statale. Cercò Dodgson nella sezione Servizi Segreti e in quella Ribelli Pentiti. Lo trovò infine dove non se l'aspettava: tra i Personaggi.

Charles Carapellese Dodgson. Composto nell'aprile 1986. Insegnante di filosofia morale. Insieme a altri due professori di filosofia assalta una biblioteca statale uccidendo un archivista, a scopo di rapina. Soggetto e sceneggiatura di Amos e Baldini. Girato con materiale di repertorio, cartoni animati e finte interviste in studio. Motivo della composizione: screditare la Facoltà di filosofia, politicamente inaffidabile. La Facoltà venne chiusa il mese dopo e gli studenti sottoposti a rieducazione.

NB) Dodgson era composto, ma gli altri due professori consistevano di realtà primaria e sono stati eliminati, come risulta da documentazione Archivio Zero.

– Bene – pensò Atharva – ora è tutto chiaro. Qualcuno ha scelto questo nome per sfidarci. Sta immettendo filmati primari nei nostri circuiti. Ci sono dei ribelli, nascosti qua dentro. Fin qui niente di nuovo. Lo sapevamo da un pezzo.

Ma c'è qualcosa d'altro.

Perché io non posso guardare quel filmato? Qual è il suo segreto? C'è un solo modo di appurarlo. Sapere cosa rappresenta veramente.

CAPITOLO TERZO

In cui il mago baol ritrova qualcosa che aveva perduto e l'avventura diventa tosta

Bisogna vedere i nemici che si hanno.
Non bisogna vedere più nemici di quanti se ne hanno.

(BAOLIAN, libro II, vv. 340-341)

Male non fare, paura non avere.

(A. HITLER)

15.

Siamo discesi per milioni di gradini di ferro, così mi è sembrato, e i nostri passi rimbombavano e si moltiplicavano, fino a riempire l'aria di un metallico tam-tam. La mole immensa di René la Mucca mi precedeva ondeggiando. Fin quando il frastuono cessò e camminammo furtivi su un pavimento di linoleum.

Ci accolse la luce artificiale di un giardino sotterraneo, una giungla di piante vere e sintetiche. C'era odore di limone e ozono. Torsoloni di antiquariato stavano in agguato qua e là, verginone tronche, guerrieri invalidi, colonne mozze. Piacevoli bar-terrazza, ghiaietto, vetri fumé e dappertutto cascatelle d'acqua, pisciatine nascoste, zampilli illuminati. Una musica di vibrafono nell'aria. Un reparto sotterraneo per il relax dirigenziale. Un cielo stellato di perspex ci sovrastava.

– Il nostro contatto è qui – disse René la Mucca nascondendo una minima parte di sé dietro una palma.

– Nostro?

– Sono anch'io del gioco, baol, non fare il furbo. Ti devo accompagnare dal tuo Alice. È il mio compito. Poi ti arrangerai.

– C'è un piccolo problema, se dobbiamo circolare qui – dissi – sembriamo dei dirigenti?

René la Mucca esaminò con tristezza il completino domopak dalmatato che pure gli stava così bene.

– Non va, eh?

– Ci penso io – dissi. Da un bar usciva un giovane mánagero con un vestito verde dollaro e un tesserino da Vip all'occhiello. Splendeva nel suo volto quell'intelligenza così libera da pregiudizi e barriere ideologiche da sembrare molto simile a un ottundimento. Lo affrontai. Gli premetti un dito sulla fronte e dissi:

– Le piacerebbe occupare la stanza del direttore generale?

– Certo che mi piacerebbe – balbettò il mánagero – ma...

– Niente "ma". Risponda: le piacerebbe stare dietro alla suprema scrivania?

– Certo che sì.

– Ebbene – dissi fissandolo in modo ipnoseduttivo col mio sguardo baol – cerchi di concentrarsi: cos'è che sta sempre dietro la scrivania, dentro la stanza del direttore generale? Glielo dico io: il ficus.

– Certo – rispose quello – il ficus, la sua pianta preferita.

– Sì. Di giorno e di notte il ficus occupa quella stanza e domina la situazione. Tutti i giorni il direttore generale lo annaffia personalmente. Il ficus conosce tutti i suoi segreti. Partecipa alle sue gioie ma è immune dalle sue ire. Mai un ficus è stato licenziato. I direttori passano, i ficus restano. Quale carriera è più felice, più vicina ai vertici aziendali e nel contempo priva di rischi e responsabilità?

– Voglio essere un ficus – disse il mánagero con gli occhi lucidi.

– Perfetto. Ora mi ascolti bene: lei è uno splendido esemplare di ficus lanceolatus. Ora si spoglierà dei suoi vestiti e si nasconderà in quel giardino tra i suoi verdi simili. Ne studierà le abitudini, la funzione clorofillare, il ricambio delle foglie, imparerà a sorbire acqua come si conviene a un ficus professionista. Dopo il corso di aggiornamento provvederemo a trasferirla nell'ufficio del direttore generale.

– Sono un ficus – proclamò il mánagero con un bagliore botanico nello sguardo. Si spogliò fulmineo e si infilò tra le piante, verso la sua nuova vita. Indossai il suo vestito: ora ero un dirigente di primo livello e René la mia guardia del corpo.

– E adesso dove si va? – chiesi.

– A una festa, capo – disse René, guardandomi ammirato.

16.

ATELIER SENECA

BONITO BON
IL RE DEL CASUAL È LIETO DI PRESENTARE
IL PROSSIMO LIBRO DI:

MELISSA TURBO DE SAMBONARD

ONLY VIP CARDS ALLOWED

La scritta troneggiava all'entrata di una grande porta adorna di encarpi di anaconde in cachemire e colonne pandoriche. Dall'interno veniva rumore di risacca festaiola. Mentre ci avvicinavamo ci investì una ventata di Caprice Improptu Bizarre Desire Delire Savage Violence Stupre Surprise e altri aromi di cui i festanti erano inzuppati.

– Questo è l'unico posto dove il tuo Alice può avvicinare uno sconosciuto senza dare nell'occhio – disse René la Mucca – Ma cosa vuole dire "Only vip cards allowed"?

– Possono entrare solo le vip cards.

– *Merde!* – disse René rivelando le sue origini francofone.

– Niente affatto. Il nostro amico ficus aveva una vip card con foto. E grazie a un paio di occhiali e una perfetta mimesi facciale baol io entrerò senza destare sospetti. E tu sarai il mio guardaspalle. Perciò comincia a guardarmele.

– *D'accord* – disse René la Mucca.

Andò tutto liscio. Due maggiordoberman ci perquisirono con mano esperta, controllarono la vip card e si inchinarono. René fu messo nella sala gorilla a rimpinzarsi di rognoni. Io entrai.

Era una tranquilla festa di Regime. Nel mio nuovo ruolo di mánagero mi addentrai nella folla di gerarchetti e clarette, mentre camerieri veloci come pattinatori impollinavano di champagne ogni angolo e l'orchestra suonava "Love in Ibiza". Bell'ambientino! Ricordai subito ciò che diceva il mio maestro baol:

Il vero baol non si annoia mai
tutt'al più si addormenta.

(Quanta saggezza nei nostri antichi testi!)

Mi diressi al buffet. C'erano per lo più insalate. Gigantesche insalate ove era mescolato tutto ciò che costava di più, senza tener conto del risultato. Ne assaggiai una di salmone, papaya, cervelletti di chinchillá, bottarga, granchio e cozze albine. Presi una quadrupla tartina e la asfaltai di caviale. Mi feci versare un flute di fernet e considerai la situazione.

Al primo tavolo vidi il padrone dell'atelier, il celebre Bonito Bon, re del casual. Era vestito nel suo stile, in modo cioè che tutto sembrava lì per caso. Era passato un foulard che si era impigliato in una camicia su cui era calata una giacca sotto la quale avevano cercato rifugio un paio di jeans delavé in fondo ai quali si era acquattato un paio di scarpe da tennis della migliore annata. In realtà quella era la combinazione 16 B delle 372 con cui il trasandato regolamentava accuratamente la sua trasandatezza, combinazioni che erano in vendita in più di cento città, nelle quali i negozi Bon avevano spodestato musei, orfanotrofi e monumenti nazionali.

Bonito Bon sorrideva agli invitati, abbronzato, con la bellezza un po' sciupata dei cinquantenni che esagerano col tennis. Era chiaro, dal movimento di maelstrom mondano che attirava tutti verso il suo tavolo, che lì era il centro della festa.

Subito dopo, il secondo tavolo per possanza mondana era quello di Melissa Turbo, nota bestsellerista nonché moglie dell'industriale dell'auto Flaviano Turbo, proprietario di squadre di pallacanestro, pallamano, pallavolo e altre palle. Melissa brillava rivestita da una frana di collane di diverso spessore, composite di perlone, perline, perloidi, ovoline, nocciole, chicchi, cannolicchi, provole, emisferi, granulomi e biglie. Sorrideva dietro un ventaglio su cui era riprodotta la copertina del suo prossimo libro, per il quale appunto le veniva assegnato il premio.

Prossimo stava per: *non ancora scritto*.

Da qualche tempo infatti si era deciso di premiare ogni scrittore *prima* dell'uscita del suo libro, con tre considerevoli vantaggi:

a) si eliminava l'ansia dell'autore (vincerò un premio o no?) e anche la tensione tra gli autori (lo vincerà lui o io?) dato che tutti venivano premiati *prima*.

b) si eliminava il faticoso lavoro delle giurie e soprattutto la fatica di leggere, lato quanto mai spiacevole del lavoro di giurato, mantenendone però gli aspetti culturali precipui quali il prestigio di essere in giuria e il pranzo finale.

c) si eliminava ogni polemica. Nessuno poteva dire: "Avete premiato un brutto libro" perché nessuno poteva averlo letto.

Per questo il clima tra gli Addetti ai Livori era disteso e sereno, e si intrecciavano brindisi mentre la giuria, seduta a un tavolo stracolmo di rose e rosbif, chiosava l'infelice situazione delle Belle Lettere nel nostro paese.

Buttai giù un altro fernet e presi a muovermi tra i tavoli: ero rimasto solo per troppo tempo e già alcuni inservienti mi guardavano strano: un Vip che non conosce nessuno non è un Vip.

Al terzo tavolo vidi dei creativi pubblicitari che discutevano se Woody Allen è un buon testimonial per preservativi. Da veri creativi quasi tutti scolpivano animaletti di mollica e sul tavolo c'era uno zoo.

A un quarto tavolo c'era uno stilista annoiato con quattro modelli torvi, quattro modelle incazzate e un levriero idrofobo.

A un quinto tavolo c'era un folto gruppo di intellettuali che si chiedevano se in certi posti un intellettuale debba esserci o non esserci. Era un tavolo che c'era sempre.

Al sesto tavolo un gerarchetto noto trafficante di armi mostrava ad alcuni stranieri eccitati un book di missili. Aprì il paginone centrale con una portaerei nuda e tutti fischiarono di libidine.

Al settimo tavolo c'era un noto personaggio che aveva fondato una loggia segreta ed era stato per anni la fogna dei vizi nazionali, il bersaglio della generale indignazione e il nemico N. 1 della democrazia. Adesso faceva il consulente finanziario.

All'ottavo tavolo c'erano accalcati sedici direttori di giornali che parlavano con il proprietario dei loro giornali dell'eccessiva concentrazione della stampa.

Al nono tavolo c'era tutto il servizio d'ordine di Spaccaglileossa che era diventato una scuola di barca a vela.

Al decimo tavolo c'era LEI.

Il cuore mi si fermò (si fa per dire), la testa mi girò (davvero). Mi aggrappai alla tovaglia del buffet facendo crollare tutto e dando luogo a un'insalata di insalate, un consorzio di mousses e una holding di macedonie.

LEI era là. La donna che aveva devastato la mia vita. Era tornata. Non era lei, ma quasi, cioè l'anima di lei era là, un baol non si sbaglia: proprio nel momento che capii che non era lei mi ricordai di lei e fui certo che nessun'altra come lei avrebbe potuto somigliare in quel modo a lei. Sono stato chiaro? No? E come posso? C'è lei.

A quel tavolo c'era Alice Auck. O almeno una donna somigliante in modo impressionante ad Alice. Alice aveva stupendi lunghi capelli biondi e *Alice* aveva splendidi corti capelli neri. Alice aveva meravigliosi occhi azzurri e occhiali e *Alice* aveva splendidi occhi gialli e buona vista. Alice aveva incantevoli spalle a forma di cuore e un neo sulla spalla destra. *Alice* aveva splendide spalle a forma di cuore ma non aveva il neo. Alice non fumava e *Alice* fumava. Alice guardava in un certo modo e anche *Alice* guardava in un certo modo, così avanzai verso di lei come su un cuscino ad aria, scostando gomiti ed epiteti.

Mi sedetti al suo fianco. Vuotai il contenuto di tutti i bicchieri del tavolo e di due tavoli contigui. Poi dissi:

– Mademoiselle, dato che al momento non ho in mente una frase originale per abbordarla, potrebbe essere così gentile da suggerirmela, in modo da evitarci un lungo e imbarazzante silenzio?

– Potrebbe dirmi che le ricordo qualcuno – disse lei.

– Sì. Qualcuno che credevo di aver perduto e ora mi sembra di aver ritrovato...

– Molto originale...

– Permetta che mi presenti. Mi chiamo...

– Melchiade Bedrosian Baol. E io sono Alice, il tuo contatto.

– Come hai fatto a trovarmi?

– Veramente sei tu che hai trovato me.

– Balliamo?

– Balliamo.

Ballammo.

17.

Il vecchio Azur viveva all'ultimo piano del reparto compositori, un magazzino cadente con vecchi schedari, collezioni di giornali sbranati dalle tarme, pile di dischi, migliaia di fotografie che l'umidità aveva cementato in una fetida pastasfoglia. C'erano anche montagne di bicchierini di carta usati, una vecchia macchina espresso in funzione e un vecchio schermo con un proiettore Klastzyak. Tutta la stanza era sporca e polverosa, ad eccezione di un grande tavolo da riunioni, dove stava, ben lucidata, una collezione di modellini di aereo. Erano gli aerei caduti negli ultimi trent'anni. Vicino a ogni aereo c'era una scatola di diapositive. Erano le foto dei passeggeri morti. Azur le aveva quasi tutte. Si faceva dare le copie dagli archivi. Poi le scambiava con l'unico collezionista al mondo oltre lui, un compositore giapponese. Da poco aveva avuto i due passeggeri mancanti del Dc 9 caduto in Indonesia nel 1976. In cambio aveva dato un pilota russo caduto sugli Urali.

Quando Atharva entrò, Azur non sembrò contento di vederlo. Se c'era qualcuno più misantropo di Atharva, in quel reparto, era proprio il vecchio. Non usciva dall'ufficio da vent'anni. Componeva su un computero di modello antiquato, che riparava lui stesso con gocce di piombo, graffette e loctite. Ma era un artista, e poteva insegnare a tutti.

Meno che ad Atharva, naturalmente. Non alzò nemmeno gli occhi dal suo lavoro, quando sentì i passi del collega.

Stava componendo le false biografie dei premiati postumi. Ritoccava qualche parola nelle interviste, inventava qualche dato: pochi tocchi da maestro. Ogni ambiguità o incertezza di una vita veniva appianata, e avviata verso il suo nascosto senso: quello di far parte, pur nelle diversità, dello spirito del tempo.

– Cristo, ci risiamo – disse Azur. Il computero si era spento di colpo.

– Il solito calo di corrente – disse Atharva.

– Il solito sabotaggio, vorrai dire – ghignò il vecchio accendendo una pipa di nitrato di amile e diventando tutto rosso per la vasodilatazione – lo sai bene anche tu, Atharva: sei una carogna, ma non sei stupido. I ribelli sono entrati in tutti i nostri circuiti. Stanno rosicchiando il nostro bel sistema.

– Di cosa parli? – borbottò Atharva.

– Non sei venuto per questo? – rise Azur – sei venuto per un tè? Per una visita di cortesia?

Atharva non replicò. Andò alla finestra. Era tanto che non guardava il mondo: giù nel suo sotterraneo non c'erano finestre. Gli sembrò che la città fosse diventata più buia e incolore. C'erano delle nuove costruzioni altissime. C'erano incendi e fumo. Nel cielo volavano grandi elicotteri trielica. Il fiume era nero, e brillava in modo sinistro sotto il primo sole. Sì, era l'alba.

– Ho bisogno di aiuto – disse Atharva.

Azur avvertì un sorprendente accento umano nelle parole del gelido Atharva, l'"uomo sottozero", come veniva chiamato nel reparto.

– Cosa ti succede? – chiese.

– Io credo che loro... cioè i ribelli... per qualche misteriosa ragione stiano inserendo dei pezzi di realtà... realtà primaria voglio dire... e fin qui niente di male... anche noi li utilizziamo per comporre... nella guerra Shama io uso molto set e ologrammi, ma anche brani della guerra israeliana, del Vietnam, della guerra Iran-Irak... però è tutto materiale controllato... invece il loro materiale è strano.

– Strano in che senso?

– Non saprei dirlo. Come sai, a me non piace la realtà primaria. Non esco di qui da anni. Morirei, se dovessi passeggiare in città o incontrare qualcuno. Ma la realtà sullo schermo la sopporto bene. Questa volta però... c'è qualcosa di diverso... usano materiali che hanno qualche strano potere... qualcosa che non è né realtà primaria né composta.

– E tu ne hai paura – disse Azur.

– È così.

– Ho già sentito parlare di qualcosa di simile... la sindrome di Murphy... c'era un altro compositore, anni fa, che aveva i tuoi sintomi.

– Parlami di Baldini – disse d'improvviso Atharva.

Azur sorrise in modo strano. Aveva la bocca sdentata e bruciata dalla droga. Tirò una lunga boccata dalla pipa.

– Baldini aveva i tuoi stessi problemi... mi parlò anche lui di un filmato che lo turbava... mi chiese i codici di accesso all'archivio Zero. Non glieli diedi.

– Perché?

– Era troppo sconvolto. L'archivio Zero contiene roba pericolosa se non hai la testa a posto... però qualcosa ha continuato a tormentarlo. Al punto che si è ucciso.

– Anch'io voglio entrare nell'archivio Zero – disse Atharva. – Solo così potrò sapere cosa rappresenta veramente quel filmato. Là c'è l'originale. Aiutami, Azur.

– Tu sei ancora più turbato di Baldini – disse Azur. – E poi, chi ti dice che io abbia quei codici?

Atharva, di colpo, tirò fuori qualcosa dal pellicciotto. Sembrava una medusa morta, una gelatina giallastra dentro un vaso di vetro. Gli occhi del vecchio si illuminarono.

– Chi te l'ha dato? – disse.

– Un amico della sperimentazione chimica... gli ho fatto un favore, ho ricomposto la notizia dell'esplosione nel suo laboratorio, cancellando un paio di morti. Sono più di duecento grammi. Potresti andarci avanti due anni, con questo.

Il vecchio guardò la gelatina. La sfiorò con le dita. Era tiepida e profumava di bosco.

– Ho provato il Soan una volta sola – disse Azur – ed è veramente la droga migliore. Non mi sorprende che non la mettano in commercio. Rovinerebbe il mercato.

– Il mio amico dice che è cento volte più forte della morfina. Non per niente la chiamano Soan, *Solo Andata*. Il consorzio Bancomafia ha deciso che la metterà in vendita solo tra dieci anni, quando gli stock attuali di droga saranno esauriti... ma tu puoi averla adesso: duecento grammi.

– Due anni... due anni senza dolore – disse il vecchio guardando nel vuoto – due anni di felicità. Gli ultimi...

– Oggi potrebbe essere l'ultimo brutto giorno della tua vita, Azur – disse Atharva.

– Ehi, una goccia alla settimana basta, vero? Non finirà troppo presto?

– Due anni – disse Atharva – sul mio onore.

Il vecchio prese il vaso di vetro tra le mani. Posò la pipa, sospirò.

– Quanto tempo ho per decidere?

– Tre secondi – disse Atharva.

– Bene – disse Azur – mettiti al computero, vicino a me.

Atharva si sedette eccitatissimo. Si slacciò anche il cappotto di pelo, rivelando uno strato geologico di maglioni.

– Sono pronto – disse.

– Prima di cominciare – disse Azur – ti devo avvertire che non abbiamo a che fare con computeri normali. I computeri segreti hanno assimilato il linguaggio dei loro utenti, cioè i servizi segreti e i militari. Sono reticenti, smemorati, e possono sembrare, a volte, degli autentici coglioni... ma non farti ingannare, sanno tutto.

– Come hai fatto a trovare la strada per l'archivio Zero?

– Stavo componendo un servizio sull'Audiumgaudium, il servizio gradimento dei programmi tivùl. Consultando la lista dei campionamenti, scoprii la famiglia Pollo.

– E cosa aveva di speciale?

– Niente di speciale. Tutto di normale. Ma la sua normalità era mostruosa. Questa famiglia dava sempre ai programmi un voto di gradimento che era la media esatta del gradimento di tutte le altre famiglie Audiumgaudium. Cioè, se la media di trentamila famiglie era sei virgola sette, la famiglia Pollo votava sei virgola sette. Controllai: per dieci anni era sempre stato così. Allora sospettai. Era impossibile che nessuno avesse notato questa perfetta medietà, grazie alla quale si sarebbe potuto abolire l'intero sistema Audiumgaudium. Sarebbe bastato consultare la famiglia Pollo. Ma nessuno aveva mai indagato su questo buco nero che ingoiava ogni extrasistola di anormalità, questa bonaccia dell'intelligenza, questo conformismo genetico. Perché? Lo scoprii presto. Non esisteva nessuna famiglia Pollo. Sotto questo nome e indirizzo, si nascondevano i dati dell'archivio Zero. Ora te lo mostrerò.

OPERATORE AZUR A COMPUTERO GENERALE:
chiedo contatto con sistema rilevazioni segrete Audiumgaudium.
Concesso

Vorrei parlare con la famiglia Pollo.
Non abbiamo nessuna famiglia con questo nome.

Ripeto: chiedo di entrare in contatto con la famiglia Pollo.
In effetti c'era una famiglia Pollo nella lista ma non ricordo bene, perché il giorno che inserirono il dato io ero momentaneamente spento poiché l'operatore aveva versato del caffè sulla mia tastiera...

Non credibile, computero generale... il caffè non danneggia un computero schermato.
Forse effettivamente non era quella la ragione. Ero fermo perché c'era stato un black-out.

Non ci fu nessun black-out quel giorno, ho controllato. Ripeto: voglio parlare con la famiglia Pollo.
Famiglia Pollo in linea.

Chiedo l'indirizzo della famiglia Pollo.
Non ricordo bene, mi sembra si trovi tra Dikanka e Città tre, oppure tra Città tre e il Ghetto, oppure in quella strada in salita che da Taganrog...

Generale, la smetta di prendermi in giro e risponda subito: indirizzo famiglia Pollo.
Magazzino 128, zona dei palazzi abbandonati.

– Ecco il nostro indirizzo – sorrise Azur – adesso puoi continuare da solo.

Chiedo il codice di accesso ai reparti del magazzino 128.
Non ricordo.

– Gli chieda cosa contiene il magazzino 128, mio giovane amico – disse Azur.

Richiedo elenco materiali in giacenza magazzino 128.

Richiesta accolta:
6 dromodinamo Tupolev per il riscaldamento dei geotropi.
4 casse di leprifugo per allarmi nel circuito lemansiano.
16.000 litri di riftonoleina per la lubrificazione dei gammaut incoativi dell'effusiometro idraulico.
1 scavatrice assonometrica per prelievi di balma.
Una centralina di controllo termico del locale con escursione da cento a meno cento.

– Noti niente di strano, Atharva?

– Sì, il controllo della temperatura. Perché mai dovrebbe essere necessario riscaldare o raffreddare cose che non esistono?

– Esatto – disse Azur – sei a un passo dalla felicità. Adesso agisci su quel dato.

– Temperatura centralina a grado zero, ripeto, grado zero – disse Atharva.

– Mossa celestiale – disse Azur con una voce stridula.

Grado zero raggiunto. Codici di entrata: Macon
granpen
leretri
cagiù
Per entrata porta dell'Inferno, necessario codice supplementare.

– Accidenti. E adesso?

– Adesso cosa? – chiese Azur.

– Ho i codici di accesso fino alla porta dello Zero, ma non ho il codice finale... dammelo tu, Atharva.

– Perché dovrei darti la porta dell'inferno quando abito già in paradiso?

Atharva si voltò. Avrebbe dovuto capirlo dalle parole che Azur diceva da qualche minuto. Il vecchio non aveva resistito. Si era subito drogato con una goccia di Soan. Ora stava sdraiato per terra con un'espressione beata sul volto, sgambettando come un neonato.

– Il codice, Azur! – gridò Atharva scuotendolo – il codice finale!

– Hai mai raccolto castagne dopo che è piovuto, Atharva? Grosse, lucide castagne? Quand'ero piccolo, io andavo spesso a raccogliere le castagne...

– Il codice o ti ammazzo, Azur!

– E credi che me ne importi? Io sono felice per sempre, Atharva... niente può ferirmi, ormai.

– Dimmi come devo continuare...

– Non mi ha mai interessato trovare la via dello Zero, ma un altro compositore l'ha trovata... non ti sarà difficile scoprire nella memoria delle operazioni chi altro si è interessato alla famiglia Pollo... *lei è stanca di sedere vicino alla sorella sulla panca*... e ora addio...

Atharva agguantò il vecchio per il collo, poi lo lasciò andare. Non ne avrebbe cavato più nulla di sensato. Era nelle braccia del Soan, per sempre. Ammazzarlo sarebbe stato inutile. Non avrebbe più svelato a nessuno il segreto.

– Ho quattro codici – pensò – e so come arrivare all'Archivio. Qualcun altro sa come entrarci. Devo solo aspettare.

18.

– In questo ultimo ventennio di inondazioni e tracimazioni editoriali, esclusi i presenti, non salverei che tre libri. Uno di questi è sicuramente il libro di Melissa Turbo, che è per la letteratura del nostro paese un autentico soffio d'acqua fresca.

– Aria – suggerì timidamente Melissa.

A parlare era il primo degli Addetti ai Livori, il Ministro della critica letteraria Enzo Ramanzer, noto per la sua "Storia mondiale della letteratura" obbligatoria in tutte le scuole. Io e Alice ascoltavamo mano nella mano, rintanati nella dolce quiete di un separé.

– In tempi in cui un forsennato delirio polistilistico spinge gli autori a sproloquiare su non-si-sa-poi-cosa, un libro come questo, non ancora uscito, anzi non ancora scritto, ha la grazia e il pudore di un classico.

(Applausi)

– La non-prosa di Melissa Turbo, il suo rimandare l'incontro fatale con la scrittura, il suo vigoroso disinteresse per i problemi politici e sociali, che è discaro trattare al vero artista, per scegliere invece la verità nuda della non-opera, ebbene tutto ciò elegge Melissa Turbo tra le migliori scrittrici contemporanee. Grazie, Melissa, per questo tuo bellissimo dono. Sono lieto di consegnarti il premio Seneca-Bon 1990 per il miglior prossimo libro. (Applausi)

– Grazie – disse Melissa – e ora vorrei leggere alcune pagine...

Si levò un mormorio di orrore e sbigottimento.

– Volevo dire: alcune pagine del menu di stasera.

Con un sospiro di sollievo, tutti scattarono verso il salone da pranzo, e ci lasciarono soli.

– È ora di passare all'azione – disse Alice – il filmato che cerchiamo è nell'archivio Zero, il luogo più segreto e inaccessibile del Regime. Da poco sono riuscita a scoprire la sua ubicazione, e i codici di entrata.

– Baciami. Come hai fatto?

– Tieni le mani a posto. Il generoso prodigarsi di molti altri ribelli ha fatto sì che ci avvicinasse alla scoperta dello Zero. Io ho riordinato le loro informazioni. E ho trovato la strada.

– Un bacio solo. Perché sei diventata ribelle? Cosa facevi prima?

– Ero stunt-model. Fotomodella specializzata in servizi pericolosi. Il pubblico era stanco dei soliti servizi patinati, e così scoppiò la moda delle stunt-models. Servizi fotografici dal fronte, in mezzo ai bombardamenti e alle carestie. Contrasti: look e tank, seta e sangue, gioielli e bombe. Lavoravo con Hector Malacarne, uno specialista del settore. Il primo servizio lo feci durante il terremoto di San Francisco. Sfilavo sull'autostrada crollata.

– Baciami. E non avevi paura?

– Sì. Ma era sempre meglio che andar su e giù per quella ridicola passerella. Poi facemmo un servizio nella baia di Ancork, dove si erano scontrate le petroliere. Tutto era ridotto a una palude nera, viscida. E in mezzo io sfoggiavo costumi da bagno sgargianti. La ditta aveva lanciato una campagna: metà del budget pubblicitario era devoluto a lavare i gabbiani incatramati di Ancork. Fu un successo.

La foto in cui io, nuda, lavavo le zampe dell'orso bianco con la trielina, andò su tutte le copertine. Le vendite aumentarono. Gli animali no. Fu lì che cominciai a dubitare di ciò che facevo.

– E poi cos'è successo?

– Poi la Fiat International decise di lanciare la nuova Fiat Eremita. Ricordi lo slogan? "Regalati un angolo appartato di benessere e ecologia nell'orribile vita contemporanea". Forse ricordi gli spot più famosi: una Fiat Eremita entra nella Bowery e schiaccia contro al muro mercanti di crack e tossicomani. Una Eremita spyder lanciata sull'autostrada amazzonica fa ricrescere al suo passaggio gli alberi abbattuti. È il mio vestito quello che hai in mano?

– Volevo vedere la marca.

– Maniaco. Io invece fui scelta per lo spot "Eremita in Africa". Plot: l'auto viaggia nel deserto e ovunque passa spuntano negretti festanti e nascono oasi e sorgenti. Io sto sul tetto, in tuta da rally, e sorrido come una Madonna. Fu uno spot pieno di imprevisti. Anzitutto avevano scelto un punto del deserto non abbastanza deserto. Dovettero estirpare tutte le palme. I negretti locali erano troppo brutti. Ne prelevarono cento da un altro paese. Poi filmarono la scena. La Fiat Eremita passava a tutto gas sulle dune e i negretti dovevano tirarsi da parte all'ultimo momento, su segnale del regista. Più il negretto schivava all'ultimo momento, più la scena era emozionante. L'Eremita partì e centrò sei negretti su dieci, oltre a due cammelli e uno sciamano. Rifacemmo la scena molte volte. Un massacro. Fu così che decisi di passare ai ribelli e diventai l'amante di un Gerarca... ti stai eccitando?

– Sì. Posso togliermi le scarpe?

– Dal momento che sono l'unica cosa che hai ancora addosso, sì. Diventai amante ufficiale di Regime, con regolare iscrizione all'albo, perché era l'unico modo per entrare nei compositori ed essere utile alla causa. Questo avvenne sei anni fa. Ho lavorato duramente da allora, ma ci sono riuscita. Tu no, invece.

– Non conosco questo modello di reggiseno.

– Ora che sei arrivato qui, Bedrosian Baol, con la tua magia riusciremo a raggiungere l'archivio Zero. Troveremo quel filmato. Il Regime non potrà mentire su Grapatax né su tanti altri. Diffonderemo la verità primaria. Smascheremo le loro menzogne e piegheremo l'oppressione capitalinformaticogrovigliocatodicopanica! Porteremo pace e prosperità nel mondo. Baciami, Baol. E parlami di lei, la lei che sarei io.

– Lei non esiste più ora... mi lasciò tanti anni fa, mi piantò in asso... era solo una prestigiatrice da night come tante...

Uno sguardo a lama di coltello mi gelò. Alice aveva cambiato idea di colpo. Si rivestì, operazione che seguii con doloroso interesse.

– Perché? – chiesi – perché?

– Stavamo dimenticando la nostra missione, ribelle Bedrosian – disse Alice – e non c'è molto tempo. Tra poco spegneranno le luci ed entreranno in funzione gli allarmi notturni e i vigilantes nictalopi. *Ad inferos!*

19.

In mezzo a un'immensa distesa di sterpaglie, il vecchio edificio dell'Ente Spettacolo era una nave affondata nell'oblio. Erbe e rampicanti avevano invaso le finestre e sui muri scrostati ancora si intravedevano gli affreschi della Rivolta dei Suggeritori e la Fucilazione dei Presentatori Doppiogiochisti.

I fiori, che una volta ornavano il viale d'ingresso avevano resistito al tempo, e così spuntavano gardenie tra mucchi di ghiaia, tulipani tra i laterizi, bouganville su macerie scheletriche, petunie da travi crollate. Era come se la mano pietosa della vedovanza botanica avesse deposto il suo omaggio in quel cimitero abbandonato.

Entrammo da una porta sfondata e percorremmo un lungo corridoio pieno di statue. Erano i Vid, ovvero i Vip dimenticati, quelli che il Regime aveva sostituito con nuovi idoli. Sui piedistalli una mano impietosa aveva tracciato mesti epitaffi.

Ci soffermammo su alcuni

Roberto de Pasquale
era il più sciocco banale e demenziale
ma uno assai più sciocco di lui apparve

che di colpo lo fece apparir normale
così tramontò Roberto de Pasquale

Aldo Vernacolone
divenne famoso per una canzone
in cui cantava "che bella che sei"
per un totale di volte ottantasei
ma poi venne Alfio Vernagiotto
che cantò "che bella che otto"
per volte centosettantotto
e per le ferree leggi del mercato
Vernacolone finì dimenticato

Nico Chiambrone
inventò una nuova forma di teletrasgressione
entrando nella cucina dell'onorevole
mentre faceva colazione
ma subito appresso
Nico Cipresso
con la telecamera riuscì a entrare nel cesso
e Nico Chiambrone ci restò come un fesso
chissà cosa farà adesso

Johnny Hall
amava il sesso la coca e lo speedball
era una belva del rock and roll
poi venne Johnny Balena
che vomitava in scena
poi venne Joe Baleti
che ingoiava criceti
poi venne Johnny Barilli
che si trafiggeva con spilli
poi venne Joe Ballina
che beveva Varechina
poi venne il Regime
che a tutto mise fine
poi venne Johnny Bellebambine
che cantava "il rock delle paperine"

con un costumino di trine
era sempre Johnny Hall, che per mangiare
si era scelto un genere più popolare
però che brutta fine!

Francesca Natale
aveva la bocca più grande e sensuale
e quando diceva "ciao"
sul canale nazionale
ogni uomo trasformava in maiale
e ognuno sarebbe annegato
in quel lago di rossetto contornato
ma dopo due settimane
apparve Francesca delle Piane
che aveva la bocca come un pescecane
sette volte una bocca normale
e Francesca Natale
fu cacciata dalla tivùl nazionale
state pur certi che è finita male.

Arrigo Barchina
era il maestro della velina
con la sua voce di vaselina
incantava il farmacista e la maestrina
ma venne Giorgio Galeone
il maestro del velone
quando leggeva del Gerarca le gesta
fuoco e fiamme gli uscivan dalla testa
e spaventoso era il suo vocione
il povero Barchina sembrò una beghina
fu cacciato dalla sera alla mattina
ora solo e malato su una panchina
legge le istruzioni della Coramina

Attilio De Mori
era il re dei presentatori
quando diceva "signore e signori"

tutti si sentivano davvero signori
nei più poveri ostelli, nei miseri tuguri.
Ma un giorno si svegliò e per caso
gli era cresciuto un brufolo sul naso
e non ci fu né luce né cerone
che poté nascondere l'imperfezione
così fu cacciato dalla televisione
ora col naso finto
e il viso dipinto
fa il pagliaccio in un circo da poche lire
è felice, ma non si deve dire.

Dopo la sala dei Vid i corridoi si restringevano, e avanzammo a fatica tra migliaia di metri di pellicola che si avviluppavano ovunque, come un roveto mostruoso. C'erano cataste di televisioni sequestrate dai tempi in cui fu dichiarato fuorilegge ogni televisore con più di tre anni di vita. C'erano costumi di scena marciti. Topi scorrazzavano qua e là, brillanti dei lustrini in cui si rotolavano. Topi rossi, topi dorati, topi arcobaleno, topazi. Da una finestra ci calammo in un cortile interno. Il paesaggio cambiò. Tutto era bianco e polveroso come su una base lunare. Una serie di edifici piramidali con un numero luminoso, brillavano nella notte. Andavano dal dodici all'uno. I magazzini della realtà primaria.

Davanti a questi magazzini c'era un grande movimento. Essendo infatti il loro contenuto importantissimo e segreto erano sorvegliati da uno speciale e modernissimo esercito. Ma quello che si presentava ai nostri occhi, più che un esercito in funzione, sembrava un balletto, o l'ora d'aria di un manicomio. Gente vestita in modo strano andava e veniva senza un motivo preciso, reggendo oggetti o spostandoli e salutandosi in modo bizzarro. Di tanto in tanto qualcuno lanciava un urlo o un rimprovero senza avere nessuno di fronte. C'era chi abbozzava strani passi di marcia, chi correva in circolo, chi sparava in aria. Precedendo la nostra domanda, René la Mucca ci spiegò:

– Questo che vedete è un moderno esercito segreto, secondo le più recenti teorie di criptostrategia della simulazione e guerra psicologica. Ciò che è contenuto nei magazzini è così segreto, che non può essere protetto con i normali apparati difensivi. Se i nemici o i ribelli vedessero davanti ai magazzini elicotteri, carri armati o soldati in assetto di guerra, capirebbero subito la segretezza di questo luogo. Inoltre ci sono qui cose così segrete che non a tutti i militari è permesso conoscerle e quindi: alcuni non conoscono i segreti e si comportano di conseguenza, altri conoscono i segreti ma non possono mostrare di conoscerli, in quanto rivelerebbero il loro ruolo segreto di conoscitori di segreti.

Altro particolare: essendo i segreti così segreti, la punizione in caso di errore è severissima. Solo stando lontano dai segreti si potrà dire: io non c'ero, non c'entro, non ero di turno. Quindi, nonostante ci sia l'obbligo di sorvegliare strettamente i segreti, tutti cercano in pari tempo di non trovarsi vicino ai segreti, cosa resa possibile dal fatto che coloro che sorvegliano che si sorveglino i segreti sono spesso altrove, in quanto non vogliono trovarsi vicino ai segreti, in modo da poter dire che non erano loro a sorvegliare i sorveglianti dei segreti qualora si verificassero violazioni dei segreti. Capisco che tutto ciò non è facile da spiegare: ma l'effetto è sotto i vostri occhi.

Altra difficoltà: secondo la nuova circolare di segretezza nessuno deve essere vestito da militare (tranne i corpi speciali da parata). Tutti sono vestiti da civili, ma non troppo, in quanto devono essere riconoscibili i gradi. Allora i soldati semplici hanno i jeans, i sergenti una giacca a quadri gialli, i capitani una tuta da footing con tre stelle sul dorso, i maggiori stivali camperos istoriati, i colonnelli sono riconoscibili dal numero dei bottoni sul doppiopetto, sedici, mentre i generali dovendo essere i più segreti, sono vestiti da soldati semplici, ma hanno la sciabola.

Altro particolare: le armi. Tutti le tengono nascoste o dissimulate. Potete vederle spuntare da giacche e tasche: fucili travestiti da ombrelli, proiettili portati come orecchini. Ci sono dei carri armati schierati, ma col cartellino del prezzo, in modo da sembrare lì solo per essere venduti, e vedete là un elicottero senza elica, in modo che il nemico diventi matto a chiedersi come possa decollare (non può! questo è il segreto).

Inoltre, in un moderno esercito segreto tutti devono fare qualcosa, ma nessuno deve fare qualcosa di preciso che sveli le sue mansioni. Bisogna quindi essere militarmente svagati, vigilare distrattamente ed essere combattivamente assenti. Ecco i soldati andare qua e là spostando casse, cassette, bombe, scope, lavandini. Ognuno, passando davanti a un superiore, ha l'obbligo facoltativamente imperativo di salutarlo in modo segreto per non tradirlo. Alcuni fanno gesti strani con le mani, altri tirano fuori la lingua, altri hanno imparato a muovere le orecchie. I caporali sorvegliano che nessuno marci. Poiché niente più di una marcia rivelerebbe il numero, l'inquadramento e le mansioni di un plotone. I soldati devono quindi rigorosamente non marciare (guai a ritmare più di tre passi!). Il caporale deve guidare la loro non-marcia senza guardarli. Il sergente deve ispezionare la pulizia delle latrine, ma essendo le latrine anch'esse segrete, è vietato usarle. Per questo il sergente ogni tanto si arrabbia e fa un cazziatone (come potete vedere in questo momento) a *nessuno*. Quelli che stanno sempre immobili sono i capitani, i quali devono assicurarsi che le sentinelle siano al loro posto. Ma per ovvii motivi di segretezza non ci sono sentinelle. I capitani passano il loro tempo leggendo fumetti sadomaso, con grande disorientamento del nemico. I colonnelli avrebbero il compito di intrattenersi democraticamente con la truppa. Ma se lo facessero, rivelerebbero il loro grado. Sono quindi condannati a girovagare per chilometri, senza poter parlare con nessuno. Per ultimo, ecco il generale che ispeziona la caserma: è quell'ometto che scopa le cartacce, e che tutti salutano portandosi due mani alla testa o facendogli un pernacchio, un misto di deferenza e disprezzo che confonde abilmente le idee al nemico.

Tutto questo può sembrare folle, inutile e dispendioso,

ma un vero esercito moderno, segreto e aperto ai problemi del paese, non può comportarsi diversamente. Non dubitate: se ci sarà da uccidere, si tornerà ai vecchi metodi. Voi sapete bene cosa succede a chi cade nelle loro mani.

Ma niente paura – concluse René la Mucca, guardandomi negli occhi – questi segreti sono nulla rispetto a quelli che alcuni di noi custodiscono nel cuore. Poiché, come dice il Baolian:

Il vero segreto
è il tuo respiro quando dormi.

– Non ti facevo così colto René – dissi un po' inquieto.

– Voi baol sottovalutate sempre tutti. Ogni lottatore di catch, prima di essere ammesso a combattere, deve studiare semiotica dell'aggressività, teatro giapponese e mind-building.

– Basta chiacchiere – intervenne Alice – adesso tu, baol, devi dirci come faremo a passare.

– Non sarà difficile – risposi – tu, Alice, vai davanti col microcomputero bene in vista. Noi due seguiremo cantando "A media luz". Io ogni tanto mi fermerò per comunicare a qualcuno la seguente parola d'ordine:

E sotto l'albero / dell'albicocca
sta Ludovico / con un tappo in bocca
così l'orecchio / del vil nemico
nulla saprà / da Ludovico.

Così fu. La somma di questi spettacolari effetti indusse tutti a pensare a una missione di segretezza inimmaginabile, e i militari si fecero da parte, perché se la missione era vera non volevano (o potevano) mettere il naso in un segreto così segreto, se d'altra parte era falsa non volevano essere coinvolti nella possibile inchiesta segreta che ne sarebbe inevitabilmente conseguita. Senza alcun problema giungemmo così fino all'ultimo magazzino, sovrastato da una montagna di immondizia coperta di gabbiani. Alice conosceva bene i codici di avvicinamento. Il primo era il verso dell'aquila aldamara, un'aquila così rara da essere estinta, che si cibava esclusivamente di gabbiani, e il cui urlo terribile risuonava nell'inconscio collettivo mitologico del gabbiano riempiendolo di terrore. Il verso era più o meno questo:

HHHHHHHHHHHHHHHHHHHHHHHHHHHHHS

Udendolo, i gabbiani si levarono in volo come un sol uomo (questa frase è tipica della lingua baol).

Individuammo così, nel mucchio di immondizie, una porticina segreta. Alice la aprì con il codice acustico del microcomputero. Entrammo. Mentre la porta si richiudeva alle nostre spalle in un aroma di uovo marcio e pattumaglia, udii nel cielo la voce armoniosa del maestro che diceva:

"Ora conoscerai il tuo segreto, Bedrosian Baol"

Seguirono otto battute della "Notte sul Monte Calvo" di Musorgskij. Al maestro piacevano questi effettacci.

20.

Immobile e marmoreo il Gerarca Enoch stava seduto davanti ai microfoni ormai da ventidue minuti. In questo tempo non aveva ancora detto una parola, ma nessuno dei numerosi giornalisti osava obiettare qualcosa, né andarsene, né tantomeno tossicchiare. Si scambiavano però occhiate interdette.

Il gerarca aveva occhiali molto spessi, dietro i quali si intuiva che gli occhi erano ben aperti. Quindi non dormiva. Un lieve sobbollimento della carotide dimostrava che respirava regolarmente. Quindi non era morto. C'era poi un particolare decisivo: osservando attentamente la sua mano destra abbandonata sopra alcuni fogli di appunti, si notava che due dita, precisamente l'indice e il medio, erano percorse a tratti da piccoli spasmi i quali, se non si potevano ancora chiamare tamburellamento, suggerivano comunque l'idea che il Gerarca stesse pensando. Passarono altri dodici minuti, per un totale di trentaquattro. Un giornalista che era da tempo proteso in avanti col microfono in mano ebbe un crampo e il microfono cadde. Fortunatamente era foderato di gommapiuma antivibrazioni, e non fece molto rumore. Il giornalista si chinò a raccoglierlo. Parve ai più che gli occhi del Gerarca seguissero con severità questa operazione. Sicuramente, alzò un sopracciglio.

L'eccitazione pervase la sala. Si eressero le penne e scattarono i registratori. Sta per succedere qualcosa di grosso, telefonò un redattore al giornale.

Purtroppo dopo alcuni istanti il sopracciglio tornò al livello abituale. Seguirono altri dieci immobili silenziosi minuti. Una mosca entrò nella stanza e sorvolò stupita quel museo di cere. Il poeta di corte Alonzo Garbo scrisse di getto sul taccuino:

> "Quale villaggio sotto rupe nevosa
> ne teme ogni vibrar e ogni romore
> tal la plebaglia di fronte allo Signore
> stavasi intimorita e silenziosa."

Dopo un'ora e venti minuti il labbro inferiore del Gerarca iniziò a separarsi dal labbro superiore in modo lento ma inequivocabile, come dimostravano le foto in sequenza scattate dai fotografi. Il Gerarca stava quindi per apprestarsi a parlare, o a sbadigliare, comunque a uscire dal letargo.

> "Qual orso che fuor di suo rifugio
> lo capo mena che d'inverno ascose
> e incerto arruffa le membra pelose
> che di novo dormir gli punge indugio."

Dopo un'ora e quarantasei, la bocca del Gerarca era del tutto aperta, ed erano visibili le tonsille, la faringe, e le otturazioni del secondo e terzo molare.

Dopodiché così parlò:

In merito ai gravi fatti di ieri / tutto è stato chiarito / il compositore Baldini / è stato vittima di un errore / nel manovrare un circuito laser / in quanto al dottor Atharva / ogni voce sulla sua scomparsa / è del tutto infondata / egli si trova in vacanza in località marina / da cui ci ha spedito / una videocassetta.

> "Quale la folgore che lo nembo squarcia
> tale il suo detto in dubbiosa assemblea

fe' luce d'ogni voce ria e marcia
e di calunnia sciolse la canea."

Seguirono altri dieci minuti di silenzio. Nessuno si azzardava a fare domande. Finché timidamente, un giornalista esordiente disse:

– Essendo Atharva un compositore di realtà non potrebbe... sì, insomma, non potrebbe avere composto una videocassetta falsa?

Il Gerarca rise. Tutti risero. Il Gerarca rise più forte. Tutti risero più forte. Il Gerarca scosse la testa. Tutti lo imitarono. Il Gerarca diede un pugno sul tavolo. Tutti diedero un pugno nella schiena di quello davanti, quelli davanti se lo diedero sul petto. Poi il Gerarca disse:

– No!

Una doccia gelata, piovendo all'improvviso dal soffitto, segnalò che la conferenza stampa era chiusa. Tutti i giornalisti tornarono alle rispettive sedi, tranne uno.

CAPITOLO QUARTO

Dell'Inferno, e delle cose spaventevoli che vi si incontrano

Ogni cento anni due baol saranno nemici,
Ogni cento anni dovranno combattere, finché
Uno solo resterà.

(BAOLIAN, libro III, vv. 163-165)

La fortuna è cieca
ma la sfiga ci vede benissimo.

(FREAK ANTONI)

21.

Ero pronto a tutto, quando entrammo nel sotterraneo dove era custodito l'archivio Zero. Ma quello che mi trovai di fronte era la peggior disgrazia che potessi immaginare.

Un leccapiedi.

Non esiste arma più terribile in dotazione a un Regime. Il suo intuito nel giudicare chi conta e chi non conta, è infallibile. È difficile corromperlo perché sa chi può dargli di più. Non può essere adulato, perché l'adulazione è il suo terreno privilegiato. Non può essere spaventato, perché sa chi può proteggerlo. Sa chi sale e scende le scale delle gerarchie: una sua occhiata di disprezzo è la prova più sicura di una carriera finita.

Dietro di lui, alla parete, tre ritratti del Gerarca (comiziante, yachtman, in famiglia). Davanti a lui, su una scrivania ordinatissima, decine di giornali scandalistici, con notti brave, segreti d'alcova, tumori di divi, liposuzioni di dive, e soprattutto notizie del palcoscenico mondano: chi c'era, chi non c'era e perché. Da quella scrivania il leccapiedi ci fissava sicuro di sé, invalicabile Cerbero tricoturnolappante.

– Dove volete andare signori? – chiese con voce cerimoniosa.

– Agli archivi.

– E chi vi manda?

– Missione segreta. Come ha visto, possediamo il codice di entrata.

– Non basta. Per le missioni segrete devo ricevere comunicazione dal dottor Pelosino. Vi manda il dottor Pelosino?

– No.

– Allora mi dispiace signori ma se non vi manda Pelosino non potete passare, salvo ordini superiori.

– La missione riguarda la sicurezza interna.

– Allora se riguarda la sicurezza interna devo avere l'autorizzazione scritta del generale Mazza. Vi manda il generale Mazza?

– No.

– Allora sono spiacente signori ma non posso farvi passare, salvo ordini superiori.

– Allora telefoni ai dirigenti dei servizi speciali.

– Sei matto? – bisbigliò sottovoce Alice – ci scopriranno...

– So quel che faccio – risposi.

Controvoglia, ma alquanto sorpreso dalla mia sicurezza baol, il leccapiedi telefonò al reparto servizi speciali. Gli rispose una cortese polifonia di segretarie.

Chiese del dottor Gherets ma era in riunione.

Il dottor Cipolla era in auto in una zona montagnosa dove il radiotelefono non riceveva.

Il dottor Masé era uscito da pochi istanti forse sono ancora in tempo a trovarlo, no, è andato.

Il dottor Alzamendi era andato a controllare i lavori.

Il dottor Tubo era andato a portare una busta al dottor Alzamendi.

Il dottor Pisello era in giro con i giapponesi.

Il dottor Amadei era in bagno con il sangue al naso.

Il dottor Bajk stava tenendo su la testa al dottor Amadei.

Seguì un secondo giro di telefonate:

Il dottor Gherets era uscito dalla riunione ed era andato a relazionare sulla riunione.

Il dottor Cipolla era prigioniero di un ingorgo di Tir e il radiotelefono vieppiù non riceveva.

Il dottor Masé era rientrato un attimo ma era subito uscito forse faccio in tempo a fermarlo, no, se ne è già andato.

Il dottor Alzamendi, ricevuta la busta dal dottor Tubo, ne stava esaminando il delicato contenuto.

Il dottor Tubo era in attesa dei risultati di questo esame.

Il dottor Pisello era in giro con gli arabi.

Il dottor Amadei era sempre in bagno col sangue al naso e si temeva per la sua vita.

Il dottor Bajk era andato ad avvisare la famiglia Amadei.

– Allora, non trova nessuno? – dissi fingendomi spazientito.

Il leccapiedi spalancò le braccia.

– Mi dispiace ma nessuno può garantire per voi... dovete andarvene, dato che senza ordini superiori...

– Scusi, lei ha telefonato a tutti ma non al più importante...

Il leccapiedi drizzò le orecchie.

– Di chi parla?

– Del dottor Altenmaier.

A quel nome (naturalmente inventato) il leccapiedi impallidì.

– Veramente... – balbettò.

– So bene che, essendo lui il vero capo segreto dei servizi segreti, è prudente chiamarlo il meno possibile, ma vista l'emergenza... lei sa bene che brutto carattere ha Altenmaier. E se sapesse che non l'abbiamo consultato...

– Ho sentito dire qualcosa a riguardo – disse il leccapiedi – Una persona di grande valore...

– Il valore non si discute – dissi – certo, quando uno è così potente si può permettere anche alcuni eccessi... lei sa a cosa mi riferisco... al caso Fiorillo.

– Poveraccio – disse Alice.

– Cosa gli è successo? – si lasciò sfuggire il leccapiedi.

– Beh, il solito scatto d'ira di Altenmaier con un tagliacarte e tac, Fiorillo inchiodato, con la mano sul tavolo. E mentre era lì inchiodato Altenmaier continuava a sputargli in faccia... è arrivato il Gerarca in persona, e non smetteva...

– Il Gerarca in persona! – gridò il leccapiedi, scattando in piedi.

– Proprio così. Perché si dice (avvicinai la bocca all'orecchio del leccapiedi) che anche il Gerarca ne abbia paura. Lei conosce quella storia delle segretarie?

– Ho sentito dire...

– Altenmaier è un vero maniaco... le assalta ovunque... si apposta in ascensore, si nasconde dietro le macchine distributrici del caffè... salta loro addosso mentre stanno alle fotocopiatrici. Escono fogli pieni delle sue manate e di altre impronte che non le dico... una volta ci ha provato con la segretaria del Gerarca in persona.

– No!

– Sì, e quello che è più grave, mentre lei si trovava sulle ginocchia del Gerarca!

– Non ha paura di nessuno – disse René la Mucca, e si scoprì il torace, mostrando vari rattoppi – le vede queste cicatrici? Io ero la sua guardia del corpo. Ogni volta che gli sparavano contro, lui mi sollevava di peso, centocinquanta chili, e si faceva scudo col mio corpo. Una volta che io non c'ero, si fece scudo con la moglie. Crivellata! Un vero mánagero.

– Mamma mia! – gemette il leccapiedi.

– Mi ricordo quella volta che non gli passarono la telefonata...

– Basta, basta – implorò il leccapiedi.

– Allora lo chiama? Conosce il suo numero segreto, no?

– Non potrebbe chiamarlo lei?

– Come vuole. Scusi se le volto le spalle, ma lei conosce sicuramente le norme di sicurezza Altenmaier.

Composi il numero del bar Apocalypso. Mi rispose Galles.

– Qua Bedrosian in missione speciale. Ho il permesso di andare all'Inferno?

– Certo che l'hai, rompicoglioni, e anche di creparci dentro, disgraziato ubriacone, lo fai apposta a telefonarmi durante la partita?

Misi giù il telefono che ancora strillava.

– Sentito che caratterino? – dissi.

– Spero che lei non riferirà al dottor Altenmaier di questi pochi minuti che vi ho fatto aspettare... – disse il leccapiedi.

– Lei non ci ha visto, noi non l'abbiamo vista – disse Alice.

Il leccapiedi si inchinò più volte e proferì parole di stima e sottomissione, mentre ci accompagnava alla porta della zona archivi. Lo salutammo principescamente.

– Come hai fatto a sapere che non avrebbe trovato nessuno ai servizi speciali? – disse Alice mentre ci allontanavamo. – Un trucco baol?

– Nessun trucco – dissi io – c'è la partita in televisione.

22.

Ci trovammo in un'immensa gabbia di metallo. Il pavimento era costituito da una grata, sotto la quale si intravedeva un profondo abisso. Vibrava come se stesse per spaccarsi, e dal fondo venivano vento caldo e rumori di grosse macchine. Alcune scale e ponticelli portavano in diverse direzioni, tutti fatti di quella maglia di ferro sottile. Era come camminare su una ragnatela.

Alice si inerpicava con sicurezza su per le scalette, finché arrivò ad una che improvvisamente scendeva. Non era più larga di mezzo metro e dondolava come fosse agitata da una mano invisibile.

– Giù di lì non ci vado – disse René.

– È elastica come un ponte tibetano – disse Alice – Non cadrà mai. Fidatevi di me.

Passo dopo passo, scendemmo nelle viscere della ragnatela metallica, finché ci trovammo di fronte a una porta blindata, su cui spiccava il logo degli sponsor dei reparti segretissimi. Gli ultimi dieci archivi: e dopo essi, lo Zero. La porta riconobbe il codice, si aprì e si richiuse alle nostre spalle. Che cosa ci attendeva?

Solo un normale hangar semibuio, con piante ornamentali, soprattutto piante grasse, data l'alta temperatura. Poi, uno alla volta, cominciarono ad entrare:

un dragone alato
un drago
un draghetto
un dracunculo
un King-Kong
uno scarposauro
uno schifomedonte
alcuni grifi di Notre-Dame
sei arpie
un ciclope
un sirbone ormiaglio
un'anaconda cingolata
un pitone nocciolato
un kraken con tentacoli di novanta metri
un triceratops
uno stegosauro
due siamosuari
quattro gruppi rock Heavy Metal:
gli Hellraisers
gli Hafen Slawkenbergius
i Curva Sud
i Crevecoeur
un uomo-lupo
un uomo-cocker
un altro King-Kong (il remake)
uno zaramageddon
un'aragosta gigante
un'onda anomala
un tartufo presidenziale
un gorilla con prole
nove tonnellate di gelatina verde
un locustone
sedici scheletri danzanti
un doukipoudontan
un ossimoro
un opinion maker
un'orchestra mambo di zombie

una portaerei americana
un minotauro
un minomanzo
un centauro a piedi
un centauro in moto
diciannove tra cerberi, ladoni, gelludi, strigi, empuse, carcinocheiri, tynnocefali, aeroconopi e ippomyrmeci
un refuso
ventidue mostri tropici oltre il limite del contenuto concettuale e cioè sedici mostri per enfasi cinque mostri per iperbole e un mostriciattolo per litote
sei mostri per dislocazione e salto di senso, tre mostri metaforici e tre ironici
un mostro di bravura
un vampiro
uno sceliphron sphiriprex
un bambino prodigio
un badibaol
una coppa gigante di gelato Tropicana
un mammuth
un teratologo

Ma quando l'orrida gehenna l'infame masnada l'infernal coacervo l'orrenda sfilata la macabra assemblea la teria ganga l'atroce raduno l'oscena congerie la sgorbia marmaglia l'orribil parata la sconcia adunata la malefica ciurma la schifosa accozzaglia il ributtante consesso la satanica combriccola la ria compagnia la malsana compagine il viscido polipaio l'emetico ensemble la truce cooperativa il ripugnante corteo il fetido gruppazzo sembrava aver terminato di moltiplicarsi, si udì un urlo terrificante, che non era né di uomo né di bestia né di diesel, il rumore di diecimila diavoli cui viene comunicata la chiusura dell'Averno e relativo licenziamento.

E apparve il re dei mostri.

Era talmente mostruoso che la sua mostruosità era indescrivibile:

era alto circa –
con una bocca enorme dentro la quale –
e dalle zanne gli colava una –
mentre i tentacoli mostruosi –
e sul dorso portava –
gli artigli delle sue zampe enormi sembravano –
un muco mucillaginoso gli riempiva –
e la coda simile a –
mentre numerosi aculei –
e la ferocia che gli si leggeva negli occhi era –
e avanzava lanciando un grido paragonabile –
e già si stava accingendo con l'orribile proboscide a...
quando...

– Meraviglioso – dissi io.
Il mostro si arrestò, digrignando stupito il –
– Mai vista una cosa così bella – ripetei.
Dalle sette bocche veniva ora un rantolo che –
– Direi anzi che è la perfezione fatta mostro.
La coda biloba iniziò nervosamente a –
– Ne avevo sentito parlare, ma non avrei mai pensato che fosse una tale meraviglia.
E di colpo si accucciò sulle –
E dalla terza bocca in alto a destra sbucò un ometto in camice bianco che discese lungo un tentacolo fino alla coda destra, la percorse evitando con cura gli aculei e ci venne incontro.
– Davvero le piace? – disse con una certa commozione nella voce.
– Altro che...
– È sicuramente la mia creazione migliore. Permette? Geronimo Balser, artigiano di effetti speciali. E lui è Albert.
Albert sorrise per un totale di quindicimila denti.
– Io sono Bedrosian Baol e questi sono la dottoressa Alice e il mio amico René la Mucca. Conoscevo molte delle sue creazioni, ma non questa. Come mai non lavora più nello spettacolo?

– È una lunga storia – disse Balser – se volete ve la racconto: Albert, portaci tè e pasticcini.

– Sissignore – rispose il mostro – preferisce tè Darjeeling, Orange Pekoe, Jasmine, China Black o Taste of Albert?

– Cos'è il Taste of Albert? – chiesi.

– Invece di intingere la bustina nell'acqua calda ci intingo il dito.

– Dovete scusarlo – disse Balser – per quanto ben programmato, resta sempre un mostro. Eccovi la storia.

IL RACCONTO DEI MARZIANI

– Qualche anno fa fui convocato per un progetto segretissimo. Erano tempi in cui il Regime era particolarmente corroso dagli scandali, e godeva di scarsa considerazione internazionale. Perciò avevano pensato al Progetto Alieno. Una finta invasione marziana, che sarebbe stata respinta dalle nostre forze armate, con evidenti vantaggi pubblicitari e politici, e cioè:

a) la battaglia contro il comune nemico spaziale avrebbe rinsaldato il morale nazionale e eliminato le tensioni interne;

b) la scelta del nostro paese come sede di un'invasione marziana sarebbe stata invidiata dalle altre potenze ben più di un'Olimpiade o di un Mondiale di Calcio;

c) la vittoria sulle truppe aliene avrebbe reso popolare il nostro esercito.

Fui quindi incaricato di progettare l'astronave e gli alieni, mentre gli esperti avrebbero preparato gli scenari possibili:

a) invasione del Polo da parte di alieni che, dotati di alito al fluorocarburo, respirando avrebbero aumentato a dismisura il buco nell'ozono, e loro eliminazione mediante dentifrici avvelenati;

b) invasione spaziale del Gran Ballo del golf, avvenimento mondano dell'anno, e attacco di alieni erbivori al green;
c) invasione di alieni-virus a forma di zolletta bianca in tutti i caffè del globo, e relativa epidemia.

Feci il mio lavoro con diligenza. Costruii una bellissima astronave ispirandomi a una medusa, la Phisiobula danzerina. Costruii poi quarantanove piccoli marziani color champagne, con testa a patata e occhi da pesce abissale, deambulanti su due gambe e lunga coda, quindi con triplo appoggio, ampia possibilità di movimenti, facile parcheggio. Poi feci il capo marziano, ispirato al quarto libro della "Settimana di bontà" di Max Ernst. Ero molto soddisfatto del mio lavoro. Non così i gerarchi. Dissero che quei tuberoidi non erano sufficienti per spaventare la gente. Ci voleva qualcosa di veramente mostruoso. Mi diedero l'ordine di costruire Albert. Distrussero i marziani condannandoli al rogo. Non dimenticherò mai la loro espressione mentre li portavano via.

Mi ci sono voluti tre anni per costruire Albert. I microcircuiti del movimento azionano seimila fibre muscolari. Cammina, corre, nuota, corteggia, balla. Rovescia ancora il tè, come vedete, ma è perfezionabile. Ma, dopo tanto lavoro e tanti collaudi, all'improvviso, mi comunicarono che non serviva più.

Gli studiosi di management statale avevano stabilito che:

a) i marziani erano solo al diciottesimo posto nell'inchiesta sulle paure collettive, molto dietro agli studenti, ai tossici, ai comunisti, agli africani, ai ragni, e ai vigili urbani;
b) per quanto Albert fosse orribile, decine di ditte erano già pronte a mettere in vendita il suo pupazzo in gommapiuma, e Albert sarebbe diventato oggetto di culto dodici ore dopo essere apparso sulla terra;
c) era perciò preferibile che i terrestri continuassero ad odiare altri terrestri, con tutti i vantaggi del caso, non ultimo la reciprocità.

Così io, Albert e tutte le mie creature fummo rinchiusi qui sotto, perché nessuno sapesse del vecchio progetto. Ci dissero di fare la guardia: ma qua non arriva nessuno che non sia autorizzato dal Regime. In dieci anni l'allarme è scattato due volte. Una volta per un topo e oggi per voi. Sto qui nel laboratorio e la mia vita scorre monotona e inutile. Non uscirò mai più da qui. Non è mostruoso?

Balser si mise a piangere senza ritegno. Albert lo imitò, zampillando da numerosissime aperture.

Improvvisamente l'ometto si scosse e disse:

– Ma voi non sarete per caso dei ribelli?

L'intuizione baol mi fece rispondere:

– Ebbene, sì.

– Quindi siete quaggiù per qualche azione malvagia e dannosa al Regime al termine della quale scapperete?

– Se ci riusciamo, sì.

– E se ci riuscite, mi porterete con voi?

– Promesso.

– E cosa volete fare?

– Vogliamo entrare nell'archivio Zero.

Balser sussultò. Albert fuggì, guaendo come un barboncino.

23.

Atharva non aveva fretta. Aspettava. Le gigantesche scansie degli archivi incombevano su di lui, come pareti a picco. C'erano migliaia di filmati in quelle scansie, migliaia di nastri registrati e di segreti. Tutte le schede degli uomini del Regime e dei loro nemici. Il mondo era lì. Tranne una parte. I segreti inaccessibili. Ciò che in nessun modo poteva venir ricomposto, mutato, ciò su cui non si poteva mentire. Questo era l'archivio Zero.

Forse avrebbe dovuto aspettare ancora molto tempo. Con calma consultò sul bibliovideo l'elenco dei filmati Shama. Come prevedeva, il 6157 era una normale fucilazione di studenti. Quello che lui cercava era altrove, nella numerazione dello Zero. Per curiosità, si mise a passare in rassegna l'elenco delle biografie. E poiché subito apparve la A, la tentazione fu forte. Sullo schermo brillò il suo nome:

ATHARVA *Nathaniel Martino*; nato l'anno del Primo Pesce. Padre e Madre morti in un incidente aereo. Affidato a un istituto di padri Telematici, si dimostra allievo eccezionale e si laurea in fisica e matematica col massimo dei voti. Entra nella maggiore azienda nazionale di computeri con l'incarico di studiare sistemi di sicurezza e vaccini contro gli inserimenti fraudolenti. Inventa due linguaggi: il Dobermann e l'Alamo. Sposa una sua collega, Robinia Robi. È un matrimonio felice. Ma tre anni dopo, in un attentato ribelle ai computeri statali, la moglie muore e lui resta ferito e sfigurato. Decide di entrare nei servizi segreti. Come agente provocatore, si infiltra nel tempio baol della Rana dove impara le tecniche baol di suggestione, ipnosi e trasformazione. Grazie alla sua abilità di computerista e ai poteri baol, diventa uno dei migliori compositori di realtà.

GIUDIZIO – elemento valido e utile, ma da tenere sotto sorveglianza, in quanto non è escluso che il suo passato baol lo abbia eccessivamente individualizzato.

NOTE CARATTERISTICHE – Ha il corpo completamente bruciato nell'esplosione dell'attentato, e lo copre con indumenti pesanti. Igiene scarsissima. Vive a sei gradi sottozero. Ghiotto di latte. Ascolta troppo i Beatles. Onanista.

IMMAGINE – Non esce mai dal palazzo. Molto temuto dai colleghi. Il fatto che sia stato baol fa notevolmente vacillare la fama di incorruttibilità dei baol. Nessuna possibilità di impiego politico o televisiaco per il look miserando. Rifiuta la parrucca.

DATA PREVISTA FINE UTILIZZAZIONE: 1998

NB. Per biografia 1 vedi archivio Zero.

Atharva sorrise. Aveva ancora otto anni davanti a sé. Che generosità, da parte dei ragazzi del Regime. Beh, in quei dati non c'era nulla che lui non sapesse che gli altri sapevano.

Un solo dubbio: cosa significava quell'ultima nota?

24.

Il baol sente il pericolo.

Se in una stazione affollata ci sono due lunghe file alla biglietteria, in una c'è sicuramente un signore che litigherà col bigliettaio per venticinque minuti bloccando tutto.

Il baol sceglierà l'altra fila.

Se in un bisunto self-service ci sono due posti liberi, uno è sicuramente vicino a un signore che è appena stato operato all'intestino crasso e arde dal desiderio di raccontarvi tutti i particolari mentre mangiate.

Il baol sceglierà l'altro posto.

Se in un cinema ci sono due posti liberi, uno è sicuramente dietro una coppia di cui uno non capisce il film e l'altro glielo vuole spiegare ma capisce meno del primo.

Il baol sceglierà l'altro posto.

Se in un treno ci sono due posti liberi, uno è sicuramente vicino a un signore che è Testimone della Verità Cosmica, sta andando al raduno annuale e da due mesi non fa nemmeno un nuovo iscritto.

Il baol sceglierà l'altro posto.

Il baol presagisce il pesce surgelato, la pallottola vagante, lo stronzo litigioso, i terremoti, le inondazioni, le maratone cittadine, gli ingorghi autostradali, l'avvicinarsi delle comete, il vomito delle diatomee.

Ma non si può vivere solo di paura.

Perciò il baol affronta il pericolo con animo sereno. Poiché sa che oltre alle brutte sorprese esistono a volte le belle sorprese, e può succedere che ciò che sembrava funesto sarà invece propizio.

Questo è scritto nel settimo libro del *Baolian*, quello delle bugie.

Perciò ci avventurammo tra le altissime pareti del Massiccio degli Archivi, che dall'alto precipitavano sul pavimento trasparente, come lame nell'acqua. I miei occhi cercavano quelli (splendidi) di Alice per comunicarle in quel preciso momento tutto il mio amore, il mio ritrovato amore, il mio restaurato amore, per farle capire che comunque fosse finita, anche se il destino ci avesse diviso nel più crudele dei modi, io le dicevo comunque grazie per aver riportato nella mia vita un sentimento così essenziale e necessario al corretto metabolismo della sopravvivenza quale appunto l'amore, e per spiegarle quanto desiderassi (pure in quella perigliosa e incomoda circostanza) stringerla tra le braccia baciarle appassionatamente la morbida bocca accarezzarle i seni levigarle le cosce massaggiarle le spalle alesarle le orecchie brucarle il collo azzannarle il sedere...

– Piantala – disse lei turbata.

Quando i baol sono molto eccitati eroticamente, pensano ad alta voce.

Dietro di noi il professor Balser spiegava paterno a René la Mucca:

– In questi archivi, dal dieci all'uno, sono contenuti brani di realtà su cui gli esperti devono dare un giudizio definitivo: se siano cioè trasformabili in nuova realtà conforme allo spirito dei tempi, o mantengano caratteristiche di verità irredimibile e pericolosa o comunque assai difficile da manipolare.

Abbiamo qui molti degli avvenimenti politici e sociali degli ultimi anni: colpi di stato, attentati, trame, insabbiamenti, e una sterminata massa sovrapposta di teorie e dibattiti. Abbiamo stragi oscure e oscuri delitti su cui sta per calare il sipario di una festosa indifferenza. Abbiamo biografie di persone oneste che si cercherà di disperdere nella sterminata burocrazia del cinismo, e vite di fetentissimi personaggi che si spera di riportare alla ribalta e agli onori del paese. Ma è davanti all'archivio Zero che il più cinico dei cinici arretra spaventato. L'inferno del dolore, della sofferenza, il magma silenzioso che sta al centro della storia del mondo, l'urlo inascoltato, il cadavere irriconoscibile, la morte inutile, il ricordo umiliato. Dall'archivio Zero, nulla deve tornare alla luce!

Queste parole risuonavano sotto l'ampia volta sotterranea, di cui non vedevamo il cielo. E dopo un attimo davanti a noi apparve lo Zero, un immenso cilindro di metallo che appariva annerito e bruciato agli orli, come se un enorme calore interno lo consumasse: anzi in qualche punto il metallo sembrava fuso e dalla cima scendevano colate irregolari, come la cera di molte candele. Ogni ronzio era cessato. Il silenzio era perfetto e spaventoso. Alice percorse con il suo microcomputero la parete liscia, alla ricerca di una apertura. La trovò quasi subito. Il codice segreto era formato da due parole:

Rinuncia, rinuncia

Una sezione del cilindro si aprì, entrammo nell'alone di una luce calda e rossastra. Le nostre ombre ci precedevano e per un attimo ebbi l'impressione che una fosse biforcuta, che vi fossero cioè cinque ombre. Ma voltandomi vidi solo facce note: Alice, René, Balser e naturalmente la mia (trucco baol). Avanzammo con cautela fino ai piedi di una parete ancora più alta delle altre. Milioni di cassette filmate, nastri registrati e vecchie pellicole ne formavano il fittissimo alveare. Non c'era traccia di scale per salirvi, né di congegni per muovere o estrarre le singole componenti. Sembrava che tutto fosse cementato insieme, e fosse impossibile separarne la minima parte.

– E ora come faremo? – dissi.

Alice alzò le braccia verso la parete.

– L'archivio Zero – sospirò ispirata – la verità! La fine dell'oppressione! La luce meravigliosa che riempirà la nostra vita e illuminerà il nostro avvenire, come il sole apparendo dietro a un vetro sporco trasforma gli arnesi del fabbro nel tesoro del re, così la verità...

– Piantala – dissi io.

Quando i ribelli sono molto eccitati politicamente, pensano a voce alta.

Alice recuperò l'abituale freddezza e consultò i suoi dati.

– Non esiste una mappa completa della realtà primaria – disse – in quanto il mescolarne insieme gli elementi aiuta a rafforzarne l'indecifrabilità e la segretezza. Ma da confessioni di vecchi archivisti e di donne delle pulizie nonché dalle coraggiose ricerche dei ribelli caduti prima di noi, sappiamo quali sono le divisioni in settori. Là, ad esempio, a nord-est, c'è il muro dei torturati in cui sono conservati i filmati di settantamila morti sotto tortura, fatti poi passare per scomparsi. Nella parete sud, in basso, c'è la verità sulle stragi di Ulpian, di Medeoro, del treno di Arzak, dell'aereo di Baal, nomi tristemente noti, e inoltre la documentazione di centosedici incidenti nucleari. Più su sono conservate tutte le riunioni segrete della mafia, dal circolo dei Cinque Nonni alla statalizzazione. E ventimila omicidi a colori.

– E Grapatax?

– La zona delle opere proibite è situata a circa sedici metri di altezza nella parete nord-ovest, ed è contrassegnata da cassette di colore più scuro... là c'è il filmato che riguarda Grapatax e il Gran Gerarca.

– E come faremo a prenderlo?

– È rarissimo che si estraggano cassette dalla realtà zero. Avviene solo per ricattare qualcuno o per motivi di propaganda, come nel caso di Grapatax. Entro trenta secondi dall'estrazione, il computero centrale controlla se l'operazione è autorizzata. Perciò avremo trenta secondi prima che si accorgano che il nostro prelievo è fuorilegge. In questo mezzo minuto noi prenderemo tre cassette a caso, e tu troverai quella di Grapatax.

– Ripeto: come?
– Con i tuoi poteri: fai cadere la cassetta giusta giù dalla scansia. E attenzione. Non possiamo prendere più di una cassetta a testa, due cassette vicine si autodistruggono. Per fuggire, correremo su per quella scala gialla. Chiaro?
Guardai in alto. Tra milioni di cassette, una sola era quella buona. Ci sarei riuscito? Maestro, invocai, aiutami!
E una voce mi disse:
– Ci riuscirai, baol!
Ma non era la voce del maestro. Era un uomo con un pellicciotto e un passamontagna, aggrappato come un pipistrello alla parete. Aveva scarpe magnetiche e una grossa pistola ulana puntata contro di noi.
– Atharva! – gridò Alice.
– Sì, mia deliziosa ribelle – disse Atharva – ti spiavo da tempo sui miei monitor. Ho spesso ammirato la tua lingerie e i tuoi tentativi per scoprire i codici segreti. Ma non temere, non ho avvertito nessuno. Possiedo anch'io i codici di entrata, meno gli ultimi due. Voi li avete; perciò mi sono permesso di entrare insieme a voi. Ora avete anche il codice di estrazione. Aiutiamoci da buoni nemici...
– Cosa vuoi da noi? – dissi.
– Voglio la cassetta 6157. Quindi ora, baol, tu farai cadere non solo la cassettina del tuo vecchio comico, ma anche quella cassetta, che è molto importante per me. Io la prenderò e ce ne andremo insieme. Perché la professoressa Auck conosce certamente il modo di uscire di qui.
– La professoressa Auck? – gridai.
– Le spiegazioni dopo – disse Alice – va bene Atharva, ognuno avrà la sua cassetta, ma dopo che succederà?
– Dopo, come è nella mia natura di baol, sfiderò Bedrosian. Perché come dice il Baolian: quando due baol sono nemici, devono combattere finché uno solo resterà. Vero?
– Ma questo avviene una volta ogni cento anni. Tu non sei un baol!
Atharva mostrò il fiocco di neve sulla mano e rise sinistramente:

– Io sono il primo baol che ha tradito i baol. Farò parte della storia baol molto più di te!
– E allora perché non trovi tu la cassetta?
– Perché ne ho paura, e non ho poteri su di lei. Nessun baol può far niente contro il suo segreto, e tu lo sai bene!
– Non è così Atharva – disse Alice – tu non hai nessun potere e non puoi trovare quella cassetta, perché quella cassetta non si trova qui dentro. L'abbiamo fatta noi ribelli.
– Bugiarda – disse Atharva scendendo con un balzo – pensi di ingannarmi?
– Noi l'abbiamo filmata! E l'abbiamo immessa con un numero falso nei circuiti dei compositori, per farvi impazzire. Prima di te abbiamo sabotato Baldini con brani di verità primaria, vera guerra Shama. L'eccesso di realtà lo ha schiantato.
– Io posso sopportare quantità di reale quasi uguali a quelle di una persona normale – gridò Atharva.
– Ma non quella cassetta. *Perché tu sei composto*, Atharva!
– Non è vero!
– È così. Qui all'archivio Zero c'è la tua vera vita. Questo vuol dire l'ultima nota della tua biografia. Tu sei stato rapito a dodici anni dall'azienda dei computeri statali, perché eri un appetitoso bambino prodigio. I tuoi genitori sono stati uccisi. Le tue ferite risalgono ad allora, quando cercasti di incendiare la casa piuttosto che cadere in mano al Regime.
– Non è vero. È una sceneggiatura maldestra – disse Atharva, togliendosi gli occhiali e mostrando infine gli occhi glauchi e incavati.
– È così Atharva. Da allora hai sempre lavorato per loro, e il tuo passato veniva ricomposto, volta per volta. Non hai mai avuto una moglie. Non c'è stato nessun attentato ribelle. Non sei mai stato baol. Il tuo odio per i baol è composto. Tu servi al Regime per screditare i baol. Hai sempre vissuto in quel fetido ufficio sotterraneo tutta la vita, una miserabile vita. Ogni dieci anni ti viene fatta un'iniezione di

ricordi. E sai perché ora sei qui, contro tutti i regolamenti? Sai perché quella cassetta ti sconvolge tanto, Atharva? *Perché è la tua morte.* Che noi abbiamo già filmato, con attori. Poiché se il tuo passato è composto, tu hai paura del tuo futuro composto, l'unico futuro per te. L'uomo che muore bruciato nel video *sei tu* Atharva, e in fondo al cuore lo sapevi.

Atharva restò un attimo silenzioso. Poi parlò con voce tranquilla.

– Bella trovata. Se non fossi un compositore, e non sapessi distinguere le storie vere dalle false, potrei anche caderci. Ma ora non c'è tempo per discutere.

– Giusto – dissi io – vedremo più tardi chi sei. Facciamo quello per cui siamo venuti.

– Pronti – disse Alice – raccogliete le cassette e poi tutti di corsa sulla scala gialla.

Azionò il microcomputer. Il muro della verità si illuminò di una luce azzurra. Urlando, indicai con un gesto due cassette, e quelle caddero. Ne presi una. Pesava come un macigno. Atharva prese l'altra. I miei amici erano già sui gradini della scala gialla, ognuno con una cassetta.

– Mancano cinque secondi – disse Alice – tenetevi.

La scala gialla era telescopica, iniziò ad alzarsi, e si elevò sempre più lunga, ondeggiando verso la volta dell'archivio. Facevamo fatica a tenerci in equilibrio, aggrappati ai gradini mentre un vento gelido ci soffiava incontro salendo verso il buio. Poi la volta si spalancò per un attimo e un'ultima frustata della scala ci proiettò all'aperto, su un terrapieno lungo il quale rotolammo. Un frastuono indescrivibile ci assordò. Alzammo gli occhi e vedemmo... l'autostrada che portava in città, con un gigantesco ingorgo notturno di migliaia di auto. L'archivio Zero era situato proprio sotto uno dei nodi nevralgici della città.

– Liberi! – urlò Atharva – e adesso a noi due, baol!

Saltò sul tetto di un'auto. Io balzai sul tetto di un'altra. C'erano già parecchi duelli al cacciavite e scontri a fuoco tra macchina e macchina, perciò nessuno ci fece caso.

– Che cosa preferisci? Strappaorta? Scontro di rimorsi? Lotta a trattenere il respiro? Trasformazione in draghi? Duello di temperature basse? Shao lin c'han ssan lu? Sfida dello scorpione in gola? Scacchi coi denti?

– Ascolta Atharva, c'è qualcosa che devo dirti...

– Se è il segreto, non mi interessa.

– Scenda di lì – urlò furibondo il padrone dell'auto su cui era salito Atharva.

Ma Atharva non gli badò. Lanciò un urlo di guerra e si mise nella posizione di attacco baol, quella dell'arco invisibile.

Dalla macchina uscì il proprietario col cric in mano, sua moglie armata di catene da neve, un gigantesco nonno con badile e tre bambini con fionde sparabulloni.

Atharva cercò invano di sottrarsi al loro attacco. Dalle altre macchine tutti urlavano eccitati e suonavano i clacson. Cercando di proteggersi dai colpi, Atharva si impigliò nel paraurti e si strappò via il pellicciotto. Apparve un corpo divorato dalle piaghe, ustionato.

– È un infettivo! – urlò il proprietario dell'auto. Con un gesto rapido, gli strappò il passamontagna dalla faccia. Apparve un viso quasi normale, con una vasta cicatrice su una guancia. Il viso di un vecchio malato.

Tutto accadde in pochi istanti. Mentre cercavo invano di farmi largo, decine di persone buttarono Atharva a terra, lo cosparsero di benzina e lo bruciarono per evitare il contagio.

Come nel video, Atharva fece alcuni passi, avvolto dalle fiamme e poi cadde ai miei piedi. La cassetta 6157 mi rotolò vicino. La presi. Atharva riuscì a sollevare un attimo la testa, come per dirmi qualcosa, poi il fuoco lo avvolse, le scintille dei peli del suo cappotto volarono in alto.

L'ingorgo durò tutta la notte. Molti morirono. Elicotteri della polizia sorvolavano i chilometri di auto. Forse cercavano noi. Tornammo in città a piedi, sotto una pioggia sottile. Ce l'avevamo fatta.

25.

– Signore e signori stasera è con noi l'uomo che può farvi morire dal ridere! Ecco a voi Saverio Grapatax! (applausi, carrellata sul pubblico)

– Grazie grazie. (Grapatax si inchina. Parla a mani giunte, con aria ispirata)

Ogni serata, nel nostro splendido paese, è felice e particolare.

Ma questa serata è particolarmente felice e particolare.

Abbiamo infatti con noi l'onorevole Enoch.

O contraddizione, Musa del comico, o diva ironia, o elegante mantello dell'humour e spada della satira e lama del witz e gavettone del lazzo e voi giochi di parole e nuvole nel nonsense e tu, amica dei comici, sola vera ispiratrice, sguardo severo, spleen, tragedia, serietà, tu o Morte, aiutatemi a cantare le lodi di un uomo le cui orme dei passi spietati resteranno nella storia, un uomo di alto ingegno e provvido potere.

Saprò trovare le parole acconce? Spero di sì.

Il gerarca Enoch, per cominciare, è un ladro.

Oh non sussurrate, non sbigottite. Questa parola ha nella mia bocca la delicatezza di una frase d'amore.

È naturalmente ladro poiché in un mondo di ladri, egli cercò armonia e coerenza.

Iniziò la carriera speculando sui terreni. Sui terreni costruì case che crollavano. Vinse gli appalti di ricostruzione. Costruì case che ricrollarono. Ora vive in un alto grattacielo, ma non ha dimenticato il tempo in cui costruiva misere case che crollavano. Non ha dimenticato le sue umili origini. Anche i suoi grattacieli crollano. Ciò va a suo onore.

Dicono che il gerarca Enoch sia un mafioso. Egli lo nega. Se mi vedete nei ristoranti frequentati dai mafiosi, dice, non per questo sono mafioso. Forse che se qualcuno frequenta i ristoranti cinesi viene accusato di essere cinese?

Ha ragione.

Dicono che Enoch faccia parte di una loggia segreta di incappucciati che si scambiano favori e tramano intrighi e si regalano banche. Ma ciò non è normale socievolezza umana? Forse che ogni famiglia, gruppo sodale, squadra di calcio, folla di linciatori, non è in qualche modo una setta?

Ameremo forse il moralista solitario e cinico, lo sterile anacoreta, lo sprezzante eremita e non piuttosto la compagnia degli amici più cari?

Si dice che Enoch faccia buttare in mare i suoi nemici con i piedi in un blocco di cemento.

Non è forse da apprezzare questo?

Certamente ognuno di voi, almeno una volta nella vita, ha provato ad annegarsi. E conosce l'orribile sensazione del proprio corpo galleggiante che si oppone al nostro scopo, e conosce la fatica immensa che costa sprofondare, i tentativi goffi che finiscono in indigestioni d'acqua salata e umilianti salvataggi da parte di rozzi bagnini.

Un blocco di cemento vi guida nel profondo blu, dolcemente, senza pena alcuna. Inoltre, quanto sarete sul fondo, sul vostro piedistallo, soldatini del mare, quanta allegria e gioia recherete ai pesci, che vedranno il loro paesaggio arricchito di una così graziosa statua!

Si dice che Enoch faccia ammazzare i giudici che lo vogliono condannare.

Ma nella nostra Costituzione non è forse sancito il diritto alla difesa per ogni imputato?

Enoch, dicono, è anche un corruttore.

Ma è un corruttore onesto. In vent'anni di corruzione, nessuno ha mai ricevuto da lui una cifra inferiore al pattuito. A volte anzi aggiunge di sua iniziativa una somma a qualche tangente, a qualche bustarella. Come descrivere la gioia del corrotto che si vede corrotto oltre i suoi stessi meriti? Sapete che ci sono funzionari che devono aspettare interi mesi per venire pagati dai loro corruttori e spesso sono pagati con cambiali e assegni a vuoto? Non è disonesto tutto ciò? Ebbene Enoch, è di tutt'altra pasta.

Enoch, si dice, vende armi.

Certamente è così. Ma un'arma è un oggetto come un altro. Non spara da sola. Non si muore solo perché si tiene in mano un'arma. Forse che noi condanniamo un salumiere perché vende prosciutti?

Eppure un prosciutto può diventare ben più pericoloso di un'arma.

Usato come clava può fracassare una testa.

Mangiato in quantità smodata può uccidere per indigestione, trigliceridi, botulino, soffocamento. Cadendo dal soffitto della cantina può stroncare più di una vita. Inoltre il prosciutto nasce da un delitto. Non si deve ammazzare un maiale per fare una pistola. Per fare un prosciutto, sì.

Allora, ripeto, è forse Enoch peggio di un salumiere?

Enoch, dicono, ha dei segreti.

Anch'io ne ho.

Enoch dice menzogne.

Anch'io ne dico.

Enoch ha abbandonato il suo miglior amico in mano ai terroristi e lo ha lasciato uccidere senza muovere un dito.

Perché egli ha posto al di sopra dell'amico lo stato.

Enoch ha anche tentato un colpo di stato.

Perché egli ha posto al di sopra dello stato, l'idea dello stato.

Enoch si è molto arricchito, dicono le leggende.

Possiede una barca a vela di cinquanta metri con vele di cachemire e tre piscine di cui una per le aragoste.

Possiede una villa piena di opere d'arte, centosessanta metri di impressionisti, dodici metri di Caravaggio, trecento chili di Picassi, una pila di Klee alta così e un tot Chagall.

Ha dodici auto blindate, una vespa corazzata e una bicicletta che morde.

Ma cosa sono queste ricchezze rispetto al sorriso di un bambino?

Enoch, mantiene centododici amanti a ognuna delle quali ha regalato un anello di diamanti, un'auto con autista, un appartamento, un canale tivùl e una sveglia al quarzo.

Ha terreni, ville, aiuole, campi di cavoli, garage, isole, vigneti.

E allora?

È forse male volere un tetto, amare l'arte, fare regali a chi si ama?

Enoch, dicono, è proprietario del novanta per cento dei giornali e vuole il monopolio completo dell'informazione.

Bugie. Non so dove l'avete letto, ma aspettate ancora un dieci per cento e non lo leggerete più.

Enoch, si dice, è un uomo pericoloso per la nostra democrazia.

Non riesco a vedere il pericolo. Per la verità, non riesco neanche a vedere la democrazia.

Tra qualche anno, forse Enoch sarà il Primo dei Gerarchi. Poiché egli è un uomo assolutamente mediocre.

Un giorno forse Enoch vi ucciderà.

C'è da morire dal ridere.

Ma non dubitate: non è questa l'ultima cosa che dirò: so fare il mio mestiere.

Vedete al tavolo di Enoch la moglie di Enoch. Ha veramente un bellissimo vestito che le inguaina le forme rotonde, tutto di raso bianco color porcellana. Adesso capisco perché si dice "alla festa c'erano delle bellissime toilette".

Signora, se le tiro quell'orecchino gigante, immagino che venga giù l'acqua, no? È vero, sì. Sono volgare. Noi comici siamo volgari. Il mio camerino è così sporco che gli scarafaggi hanno preso una domestica a ore. E ora vi lascio.

Siete splendidi. Grazie, grazie. Siete un pubblico meraviglioso. (Applausi)

(Grapatax si inchina. Si avvicina al tavolo del gerarca Enoch. Il gerarca è molto risentito. Poi ride a una battuta. Grapatax si siede. Ridono ancora. Enoch mette una mano sulla spalla di Grapatax e lo rimprovera con un ditino. Brindano. Dissolvenza.)

Il filmato era finito. Nella casa di Grapatax scoppiò un fragoroso applauso, accompagnato dagli strilli dei nani.

– Eri bravissimo – pianse Bobo.

– Sei ancora il migliore di tutti – pianse Raul.

– Gliela faremo vedere! – pianse Nick.

Grapatax si era alzato dalla poltrona, abbracciava gli amici e si spostava di qua e di là con sorprendente vigore. Aveva indossato un vecchio smoking di scena dentro al quale affogava con grazia. Tra quelli che lo complimentavano riconobbi grandi comici del passato come Poldo Pelo, Bobocinsky e Lara Belara. La vecchia soffitta, decorata con piante e fiori, piena di gente venuta per festeggiare, aveva cambiato aspetto. C'era quasi una parvenza di mondanità.

– Non male questo loft-party, vero? – mi disse Amadeus Politropo passandomi vicino con due bottiglie di vodka per mano. Alice era più bella che mai. Aveva un vestito di velluto nero e girava dispensando sorrisi e tartine. René la Mucca, che aveva aggiunto al completo domopak un papillon catodofluorescente, raccontava ad alcune ammiratrici la nostra impresa, con prefazioni e postille. I nani facevano salterelli quasi mortali. Mara May ballava con Balser. E io? Non ero felice come previsto. Aspettavo qualcosa, non sapevo cosa. Mi ero tenuto sobrio: dieci fernet corretti al ginseng. D'un tratto Alice mi si sedette vicino e mi baciò. Il giradischi ci regalò una beguine. Mi lasciai andare come un bambino in slitta.

– Vorrei restare così tutta la vita – dissi.

Alice si staccò da me, a disagio. Accese una sigaretta.
– Allora, cosa ne pensi del video di Grapatax?
– Divertente, come sempre. Però il Regime faceva male a preoccuparsi. Alla fine, cosa si vede? Tutti insieme che ci ridono su. Come nelle sigle dei dibattiti. Di cosa c'era da aver paura?
– Sai quanto sono stupidi. Comunque ora mostreremo il filmato a tutti, attraverso i canali segreti. Così si saprà che Grapatax è dei nostri.
– Terrete anche l'ultima parte?
– No, quella la taglieremo.
– Continuo a non capire a chi dava veramente fastidio quel filmato – dissi.
– Sei sempre stato un noioso moralista, baol – disse Alice, sventolandomi sulla guancia una ciocca di capelli – Grapatax quella sera si era reso conto di aver picchiato duro. Per un attimo, ha avuto paura. Cos'è un attimo di debolezza nella vita di un uomo? Non ti sembra che dopo si sia ampiamente riscattato?
– Certo – dissi io – ma non è questo il punto. Il punto è che anche noi... componiamo. O sbaglio?
– È necessario alla causa – disse Alice.
Non risposi. I nani passarono in piramide acrobatica, strizzando l'occhio. La gente era ubriaca e partivano cori e bicchieri. Grapatax faceva l'imitazione di un Prete pazzo. La mia faccia non doveva mostrare niente di buono, perché Alice mi prese per mano e mi portò fuori, all'aria aperta, sul tetto del loft. Era una notte stranamente limpida. C'era una luna molto seria. Sotto di noi le luci della città si univano a quelle dell'autostrada e a quelle del mare (sì, c'era anche il mare).
– Dobbiamo combatterli con tutti i mezzi – disse Alice – hai visto cosa hanno fatto ad Atharva? Credeva davvero di essere un baol. Sai cosa c'era nella cassetta che ha preso? Il filmato della sua cattura, a dodici anni. Il destino ha voluto che, almeno alla fine, riavesse indietro il suo passato. Lo mostreremo a tutti.

– E nelle altre cassette?

– In quella di Balser c'era la distruzione dei suoi marziani. In quella di René la Mucca c'era l'assassinio di Macigno Liquerizia, il famoso lottatore nero impegnato contro l'apartheid. Avevano detto che era morto in palestra sotto un attrezzo gonfiamuscoli. È vero. Ma sopra l'attrezzo ci erano salite dodici persone.

– Così sembra che tutti abbiano avuto quello che cercavano – dissi – E nella tua cassetta cosa c'era, professoressa Auck?

– Nella mia?... le poesie baol di Eshi... ma dimmi, davvero non mi avevi riconosciuta?

– No. Eppure avrei dovuto capirlo subito. Quel vezzo di assumere il tuo vero nome come nome segreto. Non basta tingersi i capelli, mettere le lenti a contatto, fumare e... il neo?

– I nei bisogna toglierli. Lo consiglia qualsiasi dottore.

– Forse avevo paura che fossi tu. Avevo paura di ritrovarti, e di questo momento... ora devo chiedertelo. Perché sei sparita?

– Questo è il tuo segreto, Bedrosian. Non so se sei abbastanza vecchio per conoscerlo.

– Sono abbastanza vecchio per conoscere tutti i segreti di tutte le conversazioni, confidenze e confessioni di stanotte, e ascoltare senza battere ciglio e tenere una mano sulla spalla di tutti.

– Beh, se è questo che vuoi – disse Alice. Si voltò all'improvviso. Mi sembrò che avesse gli occhi pieni di lacrime.

– Quando ti lasciai soffrii moltissimo. Era stando vicino a te, parlando con te, che avevo deciso di diventare ribelle. È stata la tua presenza a farmi desiderare di cambiar vita. Ma c'è un momento in cui dai sogni e dalle parole, si deve passare all'azione. È quello che feci. E ti lasciai.

– Ma perché non me l'hai detto? Perché non mi hai voluto con te?

– Perché *tu non esisti*, Bedrosian Baol. Questo è il tuo segreto. *Nessun baol esiste.*

Non dissi nulla. Non gridai, non dissi che era pazza. Qualcosa dentro di me diceva che dovevo ascoltare e basta. Alice camminava, quasi invisibile sullo sfondo della notte, e la sua sagoma interrompeva a tratti il disegno delle luci della città.

– Non sei mai esistito, baol, se non nei nostri sogni. Tu eri la fantasia che faceva inventare giochi ai tuoi amici. Eri il sogno della vita banale dei tuoi genitori, ciò che diede loro il coraggio di partire. Parlando con te, col compagno fedele ed entusiasta, il tuo amico Piotr trovò il coraggio di lottare. Dentro la cella quel prigioniero ti inventò e riuscì a resistere, parlando con te dei suoi progetti. E così io negli alberghi miserabili, nei locali spietati, ti vidi, parlai con te, mi innamorai di te. E trovai la forza di cambiare. Quando iniziammo l'operazione Grapatax pensammo: ci vorrebbe un baol al nostro fianco. E subito ci riempimmo di entusiasmo. Senza di te, non avremmo mai trovato il coraggio. Ma tutti, appena trovata la nostra strada, ti abbandonammo. Perché tu sei un'idea, baol. E nessuna idea può mantenersi pura. Saresti svanito, come una bolla di sapone, ai primi compromessi. Eppure noi ti abbiamo amato, veramente. Ma non tanto da farti vivere sempre con noi. Perché nessuno può amarti come vorrebbe. Ma tu ritornerai sempre. Nella mia vita, o in quella di qualcun altro.

– Non voglio – dissi – non voglio che tu sparisca ancora una volta. Io... verrò con te.

– Succederanno cose diverse da quelle che avevamo sperato... verrà il giorno che il dolore del mondo sarà così grande che per un attimo volteremo la testa per non vederlo... in quell'attimo sparirai, baol... Non puoi venire con noi, ma non ti dimenticheremo.

– Portatemi con voi! – gridai.

– Ora ci sono molte cose da fare – disse Alice. Mi sfiorò il viso con una carezza. La sua mano era leggera come l'aria. Quasi non sentii la seconda carezza. Chiusi gli occhi. Non ci fu una terza carezza. Quando li riaprii, la soffitta era vuota, piena di bicchieri di carta, cicche, bottiglie rotte. I corvi gracchiavano sul tetto. Ero di nuovo solo.

26.

È una tranquilla notte di... settembre (vi ho fregato!). Sono seduto, indovinate dove? No, non all'Apocalypso, l'hanno tirato giù con una bomba. È stato il racket del caffè: Galles usava il Mokaska invece del Colombia Royal. In due mesi però sarà come nuovo. Il bar, voglio dire. Galles non s'è fatto neanche un graffio, o forse se l'è fatto ma non si nota. Io adesso sono sulla sedia più scomoda al tavolo più schifoso del bar più malfamato della via più squallida della zona più sordida della capitale del terzo paese industriale del mondo. Il cameriere sembra la colazione di Dracula. Ci sono scarafaggi anche dentro gli scarafaggi. Il fernet è dolce. Sul palco c'è una spogliarellista che ogni volta che si toglie qualcosa, c'è qualcosa che rotola giù, ma non si capisce cosa. Ma il pianista è fantastico. Se esiste l'anima, sta suonando con quella.

Ho chiesto se avevano un giornale. "Perché, si è cagato addosso?" ha detto il barman, che è veramente una persona delicata. Niente giornale. Allora ho cercato la televisione. C'era, ma davanti ci stava piazzato un energumeno che seguiva con lo zapping sette partite di calcio contemporanee. Voglio vedere le notizie. Le notizie? ha detto lui. Le notizie, ho detto io. Come hai detto, le notizie? ha detto lui. Ho detto proprio le notizie, ho detto io, poi gli ho tirato un pa-

pagno in fronte e lui è caduto insieme alla sedia, alla bionda (nel senso di birra) e al suo amato telecomando. Così ho potuto vedere le notizie.

Il Premio dei Premi sarà rimandato di una settimana. Il Gerarca Enoch ormai da sedici ore non appare in televisione. Facce scure su tutti i canali. Notizie dall'ingorgo: morte cinquanta persone, tre di meno del mese scorso. Moltissime per risse e stenti, una bruciata. Il cadavere è irriconoscibile.

Cinquanta tossicomani sono fuggiti dal centro di concentramento statale "Salus". Per ognuno che verrà riconsegnato alla polizia c'è in premio un bilancino pesadroga d'oro.

Cultura: il poeta Ramanzer ha vinto il premio Mercoledì per la più lunga poesia in apnea, ed è candidato al premio Giovedì per la miglior traduzione di telegramma. Ma non sono queste le notizie che cerco.

– E quali allora, allievo Bed?

Questa volta non mi sbaglio. È la voce del maestro. È un po' cambiato dall'ultima volta che l'ho visto. Allora indossava un kimono arancione. Adesso ha un completo Gentleman Vittadello con camicia oxford e cravatta stroboscopica.

– Facciamo una partita a biliardo per non dare nell'occhio – dice. Prende la stecca e al primo colpo mette in buca sedici palle tra cui due di un altro tavolo.

– Tanto per non dare nell'occhio, vero? – gli dico.

– Mi è partito il colpo. Ti volevo informare che secondo voci non ufficiali qualcuno è riuscito a entrare negli archivi segreti del regime, ed è scoppiato un gran casino. Si stanno scannando. Il loro compositore più bravo è sparito, e si dice ci sia un filmato sul lurido modo in cui l'hanno reclutato. Voci anche su una bella compositrice, su Macigno Liquerizia, e su un ridicolo progetto marziano. Ma la voce più ghiotta è che Grapatax è ancora vivo...

– Non mi dire...

– Sì... e darà uno spettacolo dal vivo, una di queste notti, in qualche supermercato abbandonato. Non male, vero? Ci deve essere lo zampino di qualcuno che conosco...

Tirai e la palla finì sul lampadario.

– Basta con questa commedia, Maestro. Conosco il segreto. Bella roba. Tanto studiare, ore e ore sui libri e poi... non esisto neanche.

– Ma sei un baol... un'idea immortale e fascinosa... sei il pensiero dell'altrove, magia, avventura, libertà, utopia e rock and roll...

– Che bel dépliant turistico... sono libero anche di non essere un baol?

– Questo no – disse il Maestro imbucando anche la stecca – beh, ora vado a cercare qualche pollo, pardon, qualche discepolo... sono anni duri e non si devono lasciare i giovani in balia del tempo e dei venditori di complessità... vado al Red Cat... c'è un ballo nuovo, assai adesivo, che si chiama Remora... vieni con me?

– No, resto qui – dissi – sono abituato a stare da solo.

– Non resterai solo per molto – disse il Maestro – nessuno sarà mai più solo.

E sorrise magistralmente.

Ora che il Maestro non c'è più, sono pentito di averlo lasciato andare. Me ne sto qua col mio bicchiere di Gordon Pym in mano, e ascolto quel pianista straordinario. Spero che vada avanti tutta la notte. Ed ecco che il posto comincia a riempirsi.

Arrivano le tribù dei nictipori e dei seleni, i darkonauti dai sorrisi misteriosi. I vecchi pernodopoti, gli sputomachi. Ragazzi dalla faccia pallida, lupesse un po' annoiate, travestiti allegri con barboncini rosa, batteristi, elder poets. Gli agili adidasteri con stereomacigni sulle spalle e la tribù degli skatedromi su tavole alate, e i ranteri e i kobali dai giacconi irti di punte metalliche, e i dolcissimi punk muschiotricoti e gli skinhead ocriopodi e anche qualche manageronte pentito e uno spacciatore di elleboro e una vecchia pusher di petunie che si scola l'incasso, un vecchio exterrorista che vende dinamite usata, fidanzatini da cartolina, squadre di calcio dopo l'allenamento, portinaie spiritiste, avvistatori di Ufo, cercatori d'oro, iperborei, extracomunitari, mercuriani, maghi, streghe, maratoneti notturni, filosofi.

Non arrivano gerarchetti e clarette, con le loro torme di maggiordomi. Niente aria di set di spot di brut. Forse anche stanotte non ci spareranno addosso. Cosa pretendiamo di più?

Sto qua e ascolto il pianista. Sono all'ultimo tavolo a sinistra in fondo. Se non vi piace lo spirito del tempo, se vi piacerebbe conoscere la filosofia baol, se non riuscite a dormire o se state dormendo, venite. Mi riconoscerete subito : ho un tatuaggio a forma di fiocco di neve sulla mano. Starò qui fino a quando il pianista suonerà. E finché ci sono io, suonerà.

INDICE

La narrativa nell' "Universale Economica Feltrinelli"

Alechem, *La storia di Tewje il lattivendolo*
Aleramo, *Una donna*
Allen, *Io e Annie*
Allen, *Provaci ancora, Sam*
Allen, *Zelig*
Allende, *La casa degli spiriti*
Allende, *D'amore e ombra*
Allende, *Eva Luna*
Annunziata, *Bassa intensità*
Anonimo, *Alice: i giorni della droga*
Babel, *L'armata a cavallo e altri racconti*
Bell, *Le carte segrete di Mary Brandon*
Bellow, *Addio alla casa gialla*
Benni, *Il bar sotto il mare*
Benni, *Comici spaventati guerrieri*
Benni, *Terra!*
Benni, Cuniberti, *Stranalandia*
Benni, *Baol.* Una tranquilla notte di regime
Berberova, *L'accompagnatrice*
Blixen, *Capricci del destino*
Blixen, *La mia Africa*
Borges, *L'Aleph*
Borges, *Altre inquisizioni*
Bukowski, *Compagno di sbronze*
Bukowski, *Musica per organi caldi*
Bukowski, *Storie di ordinaria follia*
Bukowski, *Hollywood! Hollywood!*
Capriolo, *La grande Eulalia*

Capriolo, *Il nocchiero*
Carter, *La camera di sangue*
Celati, *Narratori delle pianure*
Celati, *Quattro novelle sulle apparenze*
Celati, *Verso la foce*
Chamberlain, *Donne sciabole e cavalli*
Chandler, *Blues di Bay City e altri racconti*
Chandler, *Il grande sonno*
Chandler, *Il lungo addio*
Chandler, *La semplice arte del delitto*, parte I
Chandler, *La semplice arte del delitto*, parte II
Chandler, *La sorellina*
Chandler, *L'uomo a cui piacevano i cani e altri racconti*
Chase, *Una splendida mattina d'estate*
Cirri, Ferrentino, *Via etere*
Conrad, *Cuore di tenebra*
Conrad, *Fino all'estremo*
Costa, *La daga nel loden*
De Angelis, *Il candeliere a sette fiamme*
De Luca, *Non ora non qui*
Dostoevskij, *Il romanzo del sottosuolo*
Duras, *L'amante*
Duras, *Moderato cantabile*
Duras, *Occhi blu, capelli neri*
Duras, *Testi segreti*
Duras, *La vita materiale*
Dürrenmatt, *Il giudice e il suo boia*
Dürrenmatt, *Il sospetto*
Erdman, *Il mandato*
Eroféev, *Mosca sulla vodka*
Forster, *Casa Howard*
Gibran, *Il profeta*
Gibran, *Le tempeste*
Gordimer, *Occasione d'amore*
Gordimer, *Un mondo di stranieri*
Gordimer, *Un ospite d'onore*
Gordimer, *Luglio*
Grass, *Anni di cani*
Grass, *Gatto e topo*
Grass, *Il tamburo di latta*
Guccini, *Cròniche epifániche*
Guimarães Rosa, *Grande Sertão*
Guimarães Rosa, *Una storia d'amore*

Hamilton *(a cura di), Sul sentiero di guerra. Scritti e testimonianze degli Indiani d'America*
Handke, *Prima del calcio di rigore*
Hasĕk, *Il buon soldato Sc'vèik* (2 voll. indivisibili)
Hitchcock *(presenta), Galateo del delitto*
Hoyle, *La nuvola nera*
Inoue, *Ricordi di mia madre*
Istrati, *Kyra Kyralina*
Jelloun, *Moha il folle, Moha il saggio*
Johnson, *Angeli*
Keller, *Pappe, pentole e pazzie*
Kerouac, *I sotterranei*
Lapouge, *La battaglia di Wagram*
Lawrence, *L'ufficiale prussiano e altri racconti*
Ledda, *Padre padrone: l'educazione di un pastore*
Lee, *Il buio oltre la siepe*
Lessing, *La brava terrorista*
Lessing, *Il diario di Jane Somers*
Lessing, *Se gioventù sapesse*
Lessing, *Il taccuino d'oro* (2 voll. indivisibili)
Lispector, *Legami familiari*
Lispector, *L'ora della stella*
Lispector, *La passione secondo G.H.*
Lolli, *Giochi crudeli*
London, *Il Tallone di Ferro*
Lowry, *Sotto il vulcano*
Mahfuz, *Il nostro quartiere*
Mahfuz, *Vicolo del mortaio*
Mahfuz, *Il ladro e i cani*
Magnani, *Una famiglia italiana*
Manfredi, *Magia rossa*
Manfredi, *Ultimi vampiri*
Mann, *Padrone e cane e altri racconti*
Markandaya, *Nèttare in un setaccio*
Mastretta, *Strappami la vita*
Miller, *Il sorriso ai piedi della scala*
Mishima, *Confessioni di una maschera*
Mishima, *Dopo il banchetto*
Mishima, *Lezioni spirituali per giovani Samurai*
Mishima, *Il padiglione d'oro*
Mishima, *Trastulli d'animali*
Mishima, *La voce delle onde*
Mulisch, *L'attentato*
Onetti, *Per questa notte*

Onetti, *La vita breve*
Palandri, *Boccalone*
Pasternàk, *Il dottor Živago*
Peretz, *Novelle ebraiche*
Pessoa, *Il poeta è un fingitore*
Puig, *Fattaccio a Buenos Aires*
Puig, *Una frase, un rigo appena*
Queneau, *Odile*
Roa Bastos, *Figlio di uomo*
Saramago, *Memoriale del convento*
Schnitzler, *Signorina Else*
Schreiner, *1899*
Schwarz-Bart, *L'ultimo dei Giusti*
Scorza, *Cantare di Agapito Robles*
Scorza, *Il cavaliere insonne*
Scorza, *La danza immobile*
Scorza, *Rulli di tamburo per Rancas*
Scorza, *Storia di Garabombo, l'Invisibile*
Selby Jr., *Ultima fermata a Brooklyn*
Serra, *Il nuovo che avanza*
Serra, *Tutti al mare*
Serra, *44 falsi*
Shelton, *Vita e musica di Bob Dylan*
Starnone, *Segni d'oro*
Starnone, *Ex cattedra*
Tabucchi, *Il filo dell'orizzonte*
Tabucchi, *Il gioco del rovescio*
Tabucchi, *Piccoli equivoci senza importanza*
Tanizaki, *Il dramma stregato*
Tanizaki, *Pianto di sirena*
Tomasi di Lampedusa, *Il Gattopardo*
Tondelli, *Altri libertini*
Tondelli, *Pao Pao*
Twain, *Diario di Eva*
Uhlman, *L'amico ritrovato*
Uhlman, *Storia di un uomo*
Vari, *Storia di un uomo*
Weldon, *Polaris*
Weldon, *Vita e amori di una diavolessa*
Yourcenar, *Alexis*
Yourcenar, *Il colpo di grazia*
Yourcenar, *L'Opera al nero*
Zamjàtin, *Noi*